# Pensées

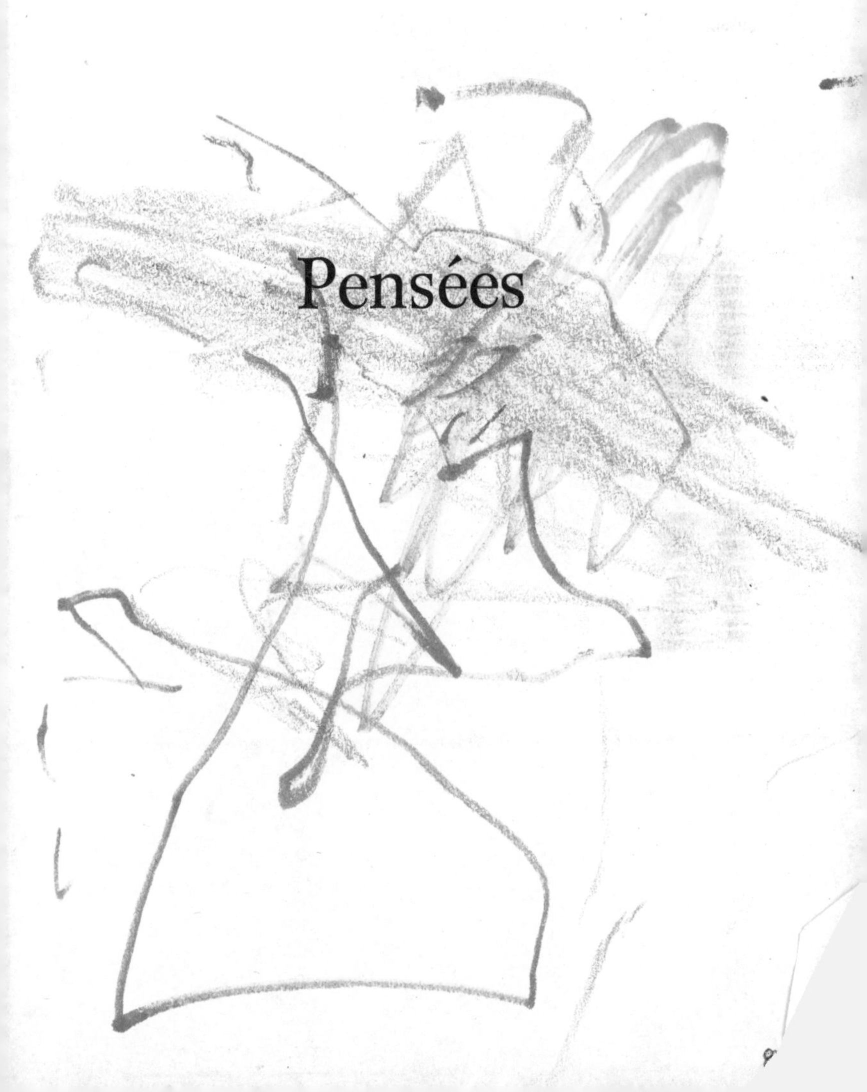

ÉTONNANTS • CLASSIQUES

# PASCAL

# Pensées

*Présentation, notes, chronologie, choix des extraits et dossier par*
JEAN-PHILIPPE MARTY,
*professeur de lettres*

GF Flammarion

**Dans la même collection**

*Baroque et classicisme* (anthologie)
CORNEILLE, *Le Cid*
LA BRUYÈRE, *Les Caractères*
MME DE LAFAYETTE, *La Princesse de Clèves*
LA FONTAINE, *Fables*
MOLIÈRE, *L'Amour médecin, Le Sicilien ou l'Amour peintre*
*L'Avare*
*Le Bourgeois gentilhomme*
*Dom Juan*
*L'École des femmes*
*Les Femmes savantes*
*Les Fourberies de Scapin*
*George Dandin*
*Le Malade imaginaire*
*Le Médecin malgré lui*
*Le Médecin volant. La Jalousie du barbouillé*
*Le Misanthrope*
*Les Précieuses ridicules*
*Le Tartuffe*
MME DE SÉVIGNÉ, *Lettres*


Édition revue, 2007.
ISBN : 978-2-0812-1026-4
ISSN : 1269-8822

# SOMMAIRE



# Pensées

### A. LE PROJET DE JUIN 1658

## B. LES DOSSIERS MIS À PART EN JUIN 1658



## C. LES DERNIERS DOSSIERS DE « PENSÉES MÊLÉES » (JUILLET 1658-JUILLET 1662)

## D. LES DÉVELOPPEMENTS DE JUILLET 1658 À JUILLET 1662



## E. LES FRAGMENTS NON ENREGISTRÉS PAR LA SECONDE COPIE

■ Portrait de Pascal jeune par son ami Domat.

# PRÉSENTATION

Ce que l'on appelle les *Pensées* de Pascal (1623-1662), ce sont environ mille fragments[1] épars rédigés entre 1656 et 1662, répartis en soixante et un dossiers (ou « liasses »), et destinés pour la plupart à la rédaction ultérieure d'un ouvrage édifiant, une *Apologie*[2] *de la religion chrétienne*. Ce traité est inachevé. On ne connaît que son état d'avancement vers juin 1658, période où Pascal a travaillé sur le plan d'ensemble du projet (fr. 40) et mis de l'ordre dans ses notes de travail. Il a découpé lui-même les grandes feuilles sur lesquelles il avait noté en vrac, en les séparant d'un trait de plume, ses « pensées », afin de constituer vingt-huit liasses (c'est A. « Le projet de juin 1658 », voir p. 45). Et il a écarté tout ce qui était hors sujet (ce sont B. « Les dossiers mis à part en juin 1658 », voir p. 113). À partir de juillet 1658, malgré la maladie, Pascal s'efforce d'étoffer son traité apologétique en écrivant de nouveaux fragments (voir C. « Les derniers dossiers », p. 127, et D. « Les développements de juillet 1658 à juillet 1662 », p. 139), mais on ne sait où il comptait les insérer, ni même s'il aurait, au final, modifié le classement de juin 1658 ou s'il aurait conservé le caractère fragmentaire de son texte. Tout ce qui se rapporte aux *Pensées* est problématique...

---

1. Ce terme peut désigner ici des notations abrégées d'un mot ou deux aussi bien que des textes d'anthologie parfaitement achevés ; on adoptera l'abréviation « fr. » pour renvoyer aux différents fragments des *Pensées*.
2. ***Apologie*** : discours qui vise à défendre, à justifier.

Lorsqu'il meurt en août 1662, ses héritiers se trouvent face à des monceaux de bouts de papier liés ensemble. Écoutons le témoignage de son neveu, Étienne Périer : « On les [les papiers découpés] trouva tous ensemble enfilés [1] en diverses liasses mais sans aucun ordre et sans aucune suite. » Ces mille fragments répartis en soixante et une liasses font immédiatement l'objet de deux copies [2] méticuleuses sous la direction de Gilberte Périer, la sœur de Pascal. Mais il faut attendre presque dix ans avant de voir paraître la première édition des *Pensées de M. Pascal sur la religion et sur quelques autres sujets, qui ont été trouvées après sa mort parmi ses papiers* (1670). Pourquoi ce délai ? Par prudence. Pascal est lié au groupe de Port-Royal [3], foyer du jansénisme dont les *Pensées* peuvent par conséquent passer pour une apologie. Or les jansénistes se rient des jésuites [4] et de la Sorbonne, et on les prétend rebelles aux bulles du pape. Et Louis XIV, qui exerce

1. *Enfilés* : traversés par un fil ; certains fragments originaux ont des trous d'enfilure. Selon un usage courant au XVIIe siècle, Pascal rangeait ses papiers en les enfilant au moyen d'une aiguille.
2. Dans ces deux copies, l'ordre des liasses *titrées* (celles du « projet de juin 1658 ») est identique ; en revanche, celui des trente-trois autres liasses est différent. Il existe donc deux façons d'éditer les *Pensées* : en suivant la Première Copie (c'est le parti pris de l'édition Lafuma, 1947-1962), ou en suivant la Seconde Copie (c'est le parti pris de l'édition Sellier, 1976, que nous suivons).
3. Le comité éditorial des *Pensées* est constitué par les Périer et deux théologiens de Port-Royal : les jansénistes Antoine Arnauld et Pierre Nicole.
4. Les *jansénistes* tiennent leur nom de Jansénius, théologien hollandais (1585-1638) qui s'inspire de la doctrine de saint Augustin (354-430) sur la grâce : aux élus (exclusivement), qui sont aussi tournés vers Dieu, est promis le paradis ; l'homme, individu misérable marqué par le péché originel, est incapable de se sauver lui-même. Les *jésuites*, eux, sont les membres de la Compagnie de Jésus fondée en 1540 par Ignace de Loyola, théologien espagnol (1491 ?-1556), et considèrent que Dieu accorde le salut à tous les hommes s'ils le méritent par leurs actions. Cette opposition théologique des jansénistes et des jésuites a des prolongements moraux (morale stricte pour les premiers, laxisme des seconds) et politiques (volonté d'indépendance française des premiers contre soumission totale au pape prônée par les seconds).

personnellement le pouvoir à partir de 1661, voyant dans l'unité de foi et de doctrine une garantie d'ordre, persécute sans cesse les religieuses et les solitaires de Port-Royal[1] jusqu'en 1669, date de la paix de l'Église. C'est durant cette accalmie, qui se prolonge jusqu'en 1679, que sont publiées les deux premières éditions (1670 et 1678), dites de Port-Royal. Elles révèlent immédiatement, entre autres, que Pascal est l'un des moralistes majeurs de son siècle...

# Le moraliste

## L'homme : un *figmentum malum* (fr. 244)

L'homme ordinaire, aux yeux de Pascal moraliste, est un puits grouillant de vices. Il a un « vilain fond » (fr. 244). D'abord, il est foncièrement égoïste ; dès l'enfance (fr. 98), il vit dans la « duplicité » (fr. 539), replié sur sa personne, coupé des autres. Le seul être auquel il voue un culte est lui-même : il est l'esclave de son amour-propre. Ensuite, il est vaniteux, c'est-à-dire qu'il ne contient rien qui soit digne d'intérêt (« vanité » est issu du latin *vanitas*, qui signifie « état de vide ») tout en étant plein de suffisance. Pascal énumère froidement les façons comiques ou non de conjurer cette insupportable béance intérieure : « astres, ciel, terre, éléments, plantes, choux, poireaux, animaux, insectes, veaux, serpents, fièvre, peste, guerre, famine, vices, adultère, inceste » (fr. 181). Il collecte également quantité d'incohérences, d'absurdités, d'humiliantes vérités visant à relativiser et à ridiculiser la supposée

1. L'établissement religieux nommé Port-Royal était constitué d'un couvent situé dans la vallée de Chevreuse, à proximité duquel résidaient quelques pieux « solitaires » (Port-Royal des Champs), et d'une annexe qui se situait au faubourg Saint-Jacques (Port-Royal de Paris).

supériorité humaine : « La puissance des mouches : elles gagnent des batailles[1], empêchent notre âme d'agir[2], mangent notre corps » (fr. 56 ; voir aussi fr. 74, 75, 76, 77, 112). Mais l'homme n'est pas seulement repoussant par nature, il est repoussé par la nature ; il est en effet décrit comme un être inconsistant et méprisable, gesticulant et rampant dans la boue d'un obscur cachot perdu dans l'immensité. Un être humain n'est qu'un « imbécile ver de terre » (fr. 164).

Cette représentation sévère de la condition humaine s'accompagne de la mise au jour de deux processus ravageurs : l'imagination et le divertissement. Ces deux puissances maîtresses empêchent l'homme de voir les choses telles qu'elles sont. La première déforme la vérité extérieure, autrement dit la réalité sensible (fr. 78), la seconde détourne de la vérité intérieure (fr. 165, 168). L'une permet à l'homme de se croire heureux, l'autre lui évite de se sentir malheureux. Mais toutes deux le trompent sur le bien et sur le mal.

L'homme ne se connaît pas lui-même. Soit par paresse : il évite de s'interroger. Soit par impuissance : ses efforts pour se comprendre n'aboutissent à rien, il erre (il « cherche partout avec inquiétude et sans succès dans des ténèbres impénétrables », fr. 19). Pour se faire une image cohérente de lui-même, il est alors tenté de se tourner vers la philosophie, et en particulier vers deux doctrines héritées de l'Antiquité, le scepticisme (ou pyrrhonisme)[3] et le stoïcisme[4]. De façon simplifiée, il y aurait,

---

1. Montaigne donne l'exemple amusant d'abeilles ayant contribué à défendre une cité assiégée (*Essais*, II, 12).
2. Voir fr. 81.
3. *Scepticisme* : doctrine philosophique qui soutient que la vérité absolue n'existe pas et qu'il faut par conséquent pratiquer un doute systématique. Le fondateur de la doctrine est Pyrrhon (365-275 av. J.-C.), d'où « pyrrhonisme » et « pyrrhonien ».
4. *Stoïcisme* : doctrine philosophique fondée par Zénon de Citium (IIIe siècle av. J.-C.), selon laquelle le bonheur est dans la vertu, et qui prône l'indifférence devant ce qui affecte la sensibilité.

selon Pascal, d'un côté les sceptiques qui voient en l'homme une bête haïssable, un être misérable, de l'autre les stoïciens qui défendent la dignité de l'homme et l'assimilent à un ange. Les deux points de vue sont totalement opposés. Et pourtant, aussi surprenant que cela semble, ils se révèlent vrais en même temps, car, tout misérable qu'il est, l'homme fait preuve de grandeur en prenant conscience de sa misère (« Un arbre ne se connaît pas misérable », fr. 146 ; « La misère se concluant de la grandeur et la grandeur de la misère », fr. 155). Les philosophes ont donc trompé leur monde en déclarant que l'homme n'était que bassesse ou que grandeur (fr. 153) ; il est les deux à la fois. C'est proprement un creuset de contradictions : « Quelle chimère est-ce donc que l'homme, quelle nouveauté, quel monstre, quel chaos, [...] dépositaire du vrai, cloaque d'incertitude et d'erreur, gloire et rebut de l'univers ! » (fr. 164).

## La société : un « hôpital de fous » (fr. 457)

Pascal dit que ses contemporains sont des aliénés. Il dénonce l'hypocrisie des civilités mondaines qui tentent de cacher le fait que « tous les hommes se haïssent naturellement l'un l'autre » (fr. 243), ainsi qu'un certain idéal de l'honnête homme qui se définit comme un art de plaire, d'être « aimable » (fr. 680), sans préoccupation morale (fr. 494). Faire plaisir, paraître plaisant, donner une bonne image de soi, entretenir « l'illusion » (fr. 126), tel est l'unique souci de chacun : « la vie est un songe » (fr. 653), une « comédie » (fr. 197). À l'échelle de toute la société, il explique que les mœurs dérivent de coutumes absurdes (fr. 59, 69), qu'il n'y a pas de justice, qu'elle dépend de la mode (fr. 95), de la géographie (fr. 54, 84), et de la force (fr. 100, 120) ; quant aux décisions politiques, elles semblent arbitraires (fr. 93).

Cependant, malgré toutes ses imperfections, il convient de se soumettre à ce « bel ordre » (fr. 138) sociopolitique. Les hommes ne peuvent faire mieux. Il est donc inutile de mettre en question l'inégalité des conditions due à la « naissance » (fr. 124, 126), ou le fait que le pouvoir politique n'est pas fondé sur les « mérites » (fr. 128). Comme les hommes ne pensent qu'à faire le mal, il est logique et normal qu'en s'organisant ils aboutissent à une société parfaitement inique, sous des apparences bien policées et séduisantes (fr. 138). L'essentiel est de comprendre pourquoi il ne peut en être autrement, et de parvenir à s'adapter : « Les hommes sont si nécessairement fous que ce serait être fou [...] de n'être pas fou » (fr. 31).

De toute façon, pour le croyant qu'est Pascal, la seule société louable, la seule qui soit fondée en morale, c'est celle des chrétiens. Cette communauté idéale est caractérisée par son unité harmonieuse (en témoigne la métaphore du « corps de membres pensants », fr. 392), par l'abnégation totale de ceux qui la composent (fr. 405) et par un sens exceptionnel de la solidarité (« Nous avons un lien commun avec [les martyrs] », fr. 391). Seule la foi permet de conjurer la folie.

## « Montaigne est plaisant » (fr. 123)

La critique morale dans les *Pensées* se réfère constamment aux *Essais*. Montaigne, qui s'y peignait en exposant les contradictions de sa propre nature et en découvrant son impuissance à trouver la vérité et la justice, sert en quelque sorte de miroir à Pascal : « Ce n'est pas dans Montaigne, mais dans moi que je trouve tout ce que j'y vois » (fr. 568). Les deux moralistes semblent s'accorder sur le fait que tout est relatif et que la pensée ne parvient jamais à la moindre certitude. Alors que l'idée de vouloir se connaître soi-même est légitime et louable, le résultat est décevant : l'homme se révèle la victime d'errances de la raison, qui « saut[e] de sujet en sujet » (fr. 644), et de flagrantes contradictions. Pascal semble s'incliner devant la qualité de l'œuvre de son illustre devancier (« Ce que Montaigne a de bon ne peut être acquis que difficilement », fr. 534). Comme lui, il emploie la première personne, s'interroge, écrit ses pensées sans ordre apparent (fr. 457), souligne la faiblesse de son esprit (fr. 540), bref, déploie une rhétorique visant à impliquer le lecteur, à imiter la manière du maître et à simuler la sincérité. En définitive, Pascal pourrait presque passer pour un double de Montaigne.

Or, leurs lectures de la nature humaine s'opposent. D'abord, Montaigne fait l'apologie de la singularité du moi, tandis que Pascal considère qu'il est haïssable, quel que soit le point de vue adopté (fr. 405). Ensuite, Montaigne dénonce la comédie sociale alors que Pascal s'efforce d'en dégager le bien-fondé (voir fr. 115 et 123, où Pascal explique sérieusement pourquoi les apparences sont à respecter). Enfin, Montaigne se montre plutôt modéré, voire prudent, quant aux miracles et à l'au-delà (« Les défauts de Montaigne sont grands. [...] Il inspire une nonchalance du salut », fr. 559), tandis que Pascal est un fervent catholique pensant que tout prouve Dieu. Loin de se superposer, les deux univers littéraires se révèlent opposés.

Le cheminement intellectuel de Montaigne aboutit à l'idée qu'il existe, sur tout sujet, une « confusion infinie d'avis et de sentences ». Or Pascal ne souhaite pas en rester là ; il utilise les conclusions de Montaigne pour affirmer la bêtise de l'homme sans Dieu. Il entend se servir du philosophe humaniste pour conforter son argumentation[1]. Même, il va jusqu'à présenter le vieil humaniste comme un penseur égaré, dépassé par la réalité, ridicule (fr. 123). Pourquoi pousser l'attaque jusque-là ? C'est que Montaigne n'est pas seulement un illustre moraliste : il est

1. *Montaigne* (1533-1592) est utilisé pour incarner la figure du philosophe sceptique, du pyrrhonien blâmant l'homme ; il est censé s'opposer parfaitement à Épictète (50-125), figure du philosophe stoïcien, dogmatique, qui fait l'éloge de l'homme.

le maître spirituel des libertins[1] auxquels justement Pascal s'adresse. Jouer avec Montaigne, c'est ruser avec le lecteur. Et s'il importe au début d'inscrire, d'« embarquer » Montaigne dans le mouvement global des *Pensées*, il est non moins nécessaire de trouver le moyen de s'en débarrasser, le moment venu. Ce qui n'est pas évident.

# Le penseur

## L'ordre de l'esprit

Les *Pensées* sont les notes de travail d'une des plus grandes figures scientifiques du XVIIe siècle, déjà connue à seize ans par tous les savants d'Europe. En effet, l'œuvre scientifique de Pascal[2] est d'une importance quasi comparable à celle de Galilée (1564-1642) ou de Descartes (1596-1650)[3]. On ne s'étonnera donc pas de la place accordée à la rationalité dans les *Pensées*. Celui qui y dit « je » – à distinguer, par principe, de Pascal – est toujours un rationaliste[4], un défenseur de la pensée logique. La faculté d'analyser et de discourir de façon ordonnée, réglée, est

---

1. Au XVIIe siècle, un libertin est un homme qui ne suit pas les lois de la religion, un incroyant, un esprit fort, un libre penseur.
2. On lui doit la résolution de problèmes complexes de mathématiques, la découverte du calcul des probabilités, du calcul infinitésimal, de l'analyse combinatoire, ainsi que plusieurs écrits de physique (*Traité de la pesanteur de la masse de l'air*, 1651-1653), de géométrie (*Essai sur les coniques*, 1640), d'arithmétique (*Traité du triangle arithmétique*, 1654), sans oublier l'invention et la construction de la première machine à calculer.
3. Pascal le rencontre les 23-24 septembre 1647.
4. Qu'il désigne un rationaliste chrétien (entendons par là un chrétien ne refusant pas de reconnaître la valeur de la raison) ou bien un rationaliste non chrétien (autrement dit un libre penseur, un libertin).

d'ailleurs présentée comme inscrite dans la nature de l'homme : « L'homme n'est qu'un roseau, le plus faible de la nature, mais c'est un roseau pensant » (fr. 231 ; voir aussi fr. 145 et 513). À défaut de pouvoir seul se connaître lui-même, l'homme est ainsi apte à « comprend[re] » l'univers (fr. 145), à décrire et à expliquer scientifiquement la nature, à disserter sur les deux infinis (de grandeur et de petitesse, fr. 230) et à rédiger des traités ou des opuscules savants. De même, il n'est pas interdit à un esprit qui « pens[e] comme il faut » (fr. 513) d'étudier méthodiquement l'Ancien Testament, d'en reconnaître la cohérence profonde, de se livrer à des exégèses érudites, etc.

Par ailleurs, le monde des sciences positives (physique, mathématiques) imprègne toutes les *Pensées*. Deux exemples évidents : par une petite expérimentation fictive, Pascal vérifie à la façon d'un physicien la puissance de l'imagination (voir le magistrat, fr. 78) ou la nécessité du divertissement (voir le roi qui s'ennuie, fr. 168), et démontre en mathématicien, par l'application de la théorie du hasard, qu'il faut parier que Dieu est (« Gagez-donc qu'il est, sans hésiter ! », fr. 680). Ces échos directs des recherches menées parallèlement à la rédaction des *Pensées* sont à mettre en rapport, dans l'ensemble, avec un goût certain pour les distinctions subtiles (notamment entre les « deux sortes d'esprits », fr. 669), les classifications et formulations claires et nettes (fr. 557), les tris (fr. 21), les dénombrements, les parallélismes (fr. 26), les proportions (notamment entre les « grandeurs », fr. 339), les symétries inverses et les renvois (entre les fr. 32 et 36), l'énoncé de règles (fr. 232), tout ce qui peut donner un sentiment d'impeccable mise en ordre du réel par l'esprit. Pascal combine art et arithmétique.

## Une machine à raisonner

Le scientifique se devine aussi dans l'art de l'argumentation. Dans son traité *De l'art de persuader* (v. 1657-1658), Pascal distingue deux stratégies argumentatives correspondant à « deux entrées par où les opinions sont reçues dans l'âme » ; la première démarche possible consiste à « convaincre » en s'adressant à l'« entendement » (à l'intelligence) ; la seconde consiste à chercher à « agréer[1] » en touchant le « cœur » (l'intuition). Ces deux moyens d'« ancrer » la vérité chez l'autre, d'une efficacité égale, correspondent à deux sortes d'esprits : ceux qui, en partant de principes abstraits, aboutissent à la vérité par un système déductif – ce sont les esprits géomètres, les logiciens –, et ceux qui, en partant des opinions communes et des principes de l'« honnêteté » (comme Miton, fr. 494, l'ami du chevalier de Méré), parviennent au même résultat – ce sont les esprits fins, les intuitifs (fr. 670). Il faut savoir parler aux deux.

Les procédés démonstratifs utilisés dans les *Pensées* sont multiples. Rappelons que l'ouvrage rassemble des discours de divers genres et registres (réflexions ironiques, plans de chapitres, notes sibyllines, saynètes, textes argumentatifs proprement dits, discours oratoires, listes de références, brouillons de lettres, maximes, citations latines, grecques, traduites ou non, etc.), et que cependant, dans ce chantier, il n'y a pas un seul texte qui n'ait pour visée, d'une manière ou d'une autre, de prouver Dieu. Les *Pensées* défendent une thèse unique : Dieu est. Par divers moyens, il faut pousser le lecteur à raisonner, à trouver sans cesse des preuves de telle ou telle chose. L'argumentation prend la forme soit d'une énumération de « preuves » définitives (fr. 305, 717), soit d'un éloquent développement (fr. 142, 168, 182), soit de courts commentaires critiques sur ce que l'on se dit (fr. 184) ou sur ce que le peuple pense (fr. 129).

1. *Agréer* : séduire, plaire, pénétrer les esprits, persuader.

Engagé constamment dans un réseau d'arguments et de contre-arguments, contraint d'adopter successivement des thèses aussitôt renversées (fr. 124) et des points de vue contradictoires, ballotté d'une opinion à l'autre, le lecteur ne sait plus quoi penser (fr. 579). Mieux : sa « pensée [lui] échappe » (fr. 540), il en perd le contrôle. Elle finit même par se retourner contre lui et le vider de toute consistance intellectuelle (fr. 567).

Si le système argumentatif mis en place par Pascal a parfois des allures de machine infernale, c'est qu'il est fondé sur le principe du « renversement continuel du pour au contre » (fr. 127). Pascal a la passion de l'opposition. Il s'en sert pour construire (voir les oppositions entre grandeur et misère, fr. 146, entre les deux infinis, fr. 230, entre les deux grandes philosophies définies par leur exacte opposition, fr. 26) ou pour détruire (voir la stratégie d'anéantissement de la pensée du lecteur, ou bien l'opposition systématique à l'homme : « S'il se vante, je l'abaisse / S'il s'abaisse, je le vante », fr. 163). Ce goût pour la réfutation culmine dans la méthode de « la raison des effets », qui consiste à chercher les différentes façons opposées de justifier telle situation ou telle opinion, et à démontrer qu'il est possible de passer sans cesse « du pour au contre » (fr. 124). Tout argument peut être retourné, comme une « balle » (voir la comparaison avec le jeu de paume, ancêtre du tennis, fr. 575). Raisonner, c'est jouer.

## Les limites de la raison

Bien qu'il soit un maître du raisonnement mathématique rigoureux, Pascal ne fait pas l'éloge de la raison, au contraire. Dans la perspective édifiante[1] qui est la sienne, tout ce qui est de l'ordre de l'esprit est secondaire. La pensée rationnelle

1. Pascal, rappelons-le, écrit pour amener son lecteur à se convertir de toute son âme à la religion chrétienne.

(mathématique, géométrique), qui procède par enchaînement mécanique de propositions, est efficace, voire triomphe dans le domaine des connaissances naturelles ; or l'essentiel pour un être humain ne relève pas de ce domaine-là, mais de celui des connaissances surnaturelles.

La pensée rationnelle est criticable d'abord parce qu'elle n'est pas un outil fiable, elle est fragmentaire, présente des failles et des faillites : « En écrivant ma pensée, elle m'échappe quelquefois » (fr. 540). Même la raison scientifique, solide en apparence puisqu'elle se fonde sur un enchaînement logique de propositions, dépend en fait de « premiers principes » (fr. 142) éminemment subjectifs et n'aboutit par conséquent qu'à des vérités toutes relatives. Ensuite, la raison est vite dépassée et sujette à des vertiges, causés par une immensité réelle (fr. 102, 220, 230) ou imaginaire (voir la panique du philosophe, fr. 78). Enfin, la raison déraisonne lorsqu'elle prétend accéder à la connaissance du « cœur » (fr. 680) et aux « choses [...] surnaturelles » (fr. 220), qui sont hors de sa portée, hors de son ordre.

Cette mise en question de la raison ne signifie pas sa condamnation sans appel. La pensée rationnelle mérite d'être défendue. D'abord, contre son « ennemie » (fr. 78) : l'imagination. Les hommes ont besoin de la raison pour dénoncer les superstitions engendrées par cette faculté aliénante. Ensuite, pour développer, dans l'ordre de l'esprit, la connaissance de la nature physique à travers le développement des sciences positives. Enfin, parce qu'elle est une faculté divine compatible avec la foi du « vrai chrétien » (fr. 389).

La raison a donc une place bien définie dans l'univers pascalien. Il est exclu d'y recourir pour prouver Dieu dogmatiquement par des « preuves [...] métaphysiques » (fr. 222) ou « par les ouvrages de la nature » (fr. 644 ; voir aussi fr. 38). En revanche, il n'est pas interdit de parler raisonnablement de la foi, de montrer que la foi n'est pas déraisonnable, de donner l'idée et le désir de la divinité, bref de préparer la raison à abdiquer : « Il est [...] juste qu'elle se soumette quand elle juge qu'elle se doit soumettre » (fr. 205).

# Le chrétien

## Une machine à convertir

La majorité des fragments des *Pensées* devait servir à un traité apologétique destiné à convertir le lecteur au christianisme. Bien entendu, Pascal n'est pas le premier à vouloir démontrer que Dieu existe. Mais il ne procède pas comme les autres apologistes ; eux tentent de montrer, de prouver, d'exposer, de faire voir Dieu ; Pascal au contraire dit que Dieu est... invisible, et qu'il est normal qu'on ne le voie pas : « Dieu est un Dieu caché » (fr. 644). Les grands moyens oratoires (belles « antithèses », fr. 466, table des « matières » bien ordonnée, fr. 575, éloquence emphatique de type cicéronien), traditionnellement mobilisés dans les traités d'apologétique, apparaissent dès lors inadaptés. Dieu ne s'impose pas. Il n'est pas, ou plutôt il n'est plus évident. Pascal part de là, de cette apparente disparition de Dieu. Logiquement, il adopte le point de vue et la langue des gens ordinaires, se met à la portée de l'incroyant commun, dont il fait entendre la voix, les idées intimes, les préjugés, les peurs (fr. 233), etc. Ce libertin, qui a du « mépris pour la religion » (fr. 46), cet esprit fort[1] qui se sent coupé de son Créateur, il ne s'agit surtout pas de se séparer de lui, mais au contraire de maintenir le contact, de dialoguer avec lui et de s'adapter à sa logique, de l'« accrocher ». Le pronom « je »

---

1. Selon Pascal, cet « esprit fort » existait déjà chez les Juifs, à travers le Juif charnel (fr. 319).

dans les *Pensées* n'implique jamais Pascal, en tout cas jamais directement ; la première personne n'est toujours qu'une posture énonciative résultant d'une stratégie argumentative.

La table du fragment 1, qui ordonne les dossiers (les liasses) en deux colonnes, semble indiquer que Pascal prévoyait pour son apologie un plan en deux « partie[s] » (fr. 40 ; fr. 690), deux étapes, que l'on peut résumer ainsi :

I. *L'homme malheureux sans Dieu.* Cette partie, plutôt empirique et philosophique, constate la double nature inquiétante de l'homme (misère / grandeur). On y part à la découverte d'une humanité mondaine qui cache sa corruption fondamentale derrière de beaux discours et de belles manières. On inspire à l'incroyant l'amour de la religion chrétienne (« point contraire à la raison », « vénérable », « aimable », fr. 46).

II. *L'homme heureux avec Dieu.* Cette partie, plutôt dogmatique et théologique, démontre que la religion chrétienne « est vraie » (fr. 46), preuves à l'appui. On y part à la découverte du Dieu qui se cache dans la nature, dans l'Écriture, dans l'Histoire ; on apprend à y déchiffrer les signes de sa présence.

Ce mouvement binaire possédait ses temps forts ; ainsi Pascal prévoyait-il de montrer l'horreur d'un raisonnement athée poussé jusque dans ses dernières conséquences (fr. 681) ; le moment venu, il envisageait également de démontrer que, puisqu'« on est forcé à jouer » (fr. 680), il est mathématiquement plus intéressant de tout miser sur l'existence de Dieu ; à l'occasion, il n'excluait pas non plus de dramatiser son apologie en faisant intervenir la voix de Dieu elle-même, comme cela se produit dans la Bible (« entendez de votre Maître votre condition véritable que vous ignorez », fr. 164). Pascal apologiste souhaitait que son ouvrage amenât l'incroyant à être convaincu qu'il ne pouvait se comprendre sans faire appel à la théologie.

En même temps, la conversion du libertin devait résulter essentiellement d'un travail sur le « cœur ». Cette faculté opposée à la raison permet l'accès immédiat à la « vérité » (fr. 142) par l'intuition, l'instinct. Dans l'ordre des connaissances naturelles, le cœur fournit les principes, les fondements. Mais c'est surtout dans l'ordre des connaissances surnaturelles que le cœur joue un rôle crucial, car c'est par lui que Dieu touche l'homme, et inversement : « C'est le cœur qui sent Dieu, et non la raison : voilà ce que c'est que la foi. Dieu sensible au cœur, non à la raison » (fr. 680). Plutôt que la rhétorique traditionnelle, Pascal déploiera donc une rhétorique de la persuasion visant directement le cœur. D'abord, comme dans la Bible, il découvre la vérité humaine non pas *ex abrupto* mais dans le cadre de la réalité quotidienne (fr. 47, 53) et d'entretiens familiers (fr. 38, 39). Ensuite, il ne progresse pas de façon continue. Au contraire, il se répète, il se reprend sans cesse, n'hésitant pas à casser, à fragmenter de façon très concertée son discours afin de mimer l'allure naturelle du cœur, d'épouser le rythme de la nature qui « passe et revient, puis va plus loin, puis deux fois moins, puis plus que jamais, etc. » (fr. 636). C'est que l'ordre du cœur n'est pas l'ordre de l'esprit ; le cœur procède par « digression » (fr. 329) vers l'objet de son amour, Dieu ; le cœur n'exige pas l'enchaînement rigoureux d'une suite de propositions ou de raisons, il fuse vers Dieu. Finalement, le rôle de l'apologiste est double : (r)amener dans la voie de Dieu et imiter la voix de Dieu (fr. 751).

## Le théologien caché

Sur le plan théologique, l'apologie se fonde rigoureusement sur la doctrine de saint Augustin[1] (l'augustinisme) que Pascal connaît bien pour l'avoir exposée dans les *Écrits sur la grâce* (1656). Selon cette théorie qui s'inscrit en filigrane dans toutes les

1. *Saint Augustin* : voir note 4, p. 8.

*Pensées*, les hommes subissent toujours l'effet de la faute d'Adam (c'est la « transmission du péché », fr. 164). Bien qu'ils conservent des traces de leur « première nature » (fr. 182) qui créent en eux une dualité (misère / grandeur), les hommes « déchu[s] » (fr. 149) sont condamnés à vivre comme des « bêtes » (fr. 86), dans l'ignorance et l'égoïsme. Leur punition commune a été de ne plus voir Dieu, d'être coupés de lui. Il ne reste, pour les plus lucides, qu'à implorer et gémir (fr. 24). Cependant, Dieu a le pouvoir de sauver par sa « grâce » (fr. 439) quelques élus en les rétablissant dans leur nature profonde. Bien sûr, l'apologiste n'a pas le même pouvoir ; son action se limite à aider le lecteur à remplir les conditions nécessaires à une éventuelle obtention de cette grâce.

En fait, selon Pascal, la condition humaine n'est pas absolument tragique, il ne faut pas désespérer (fr. 233) : Dieu n'est pas définitivement invisible, il est « caché à ceux qui le fuient » (fr. 274 ; voir aussi fr. 277). Il est vrai qu'il est également caché pour ceux qui le cherchent : Dieu aime se faire désirer. Il se manifeste par un jeu d'ombre et de pleine lumière. Il est à la fois partout caché et partout présent – lorsqu'on le cherche avec le cœur – aussi bien dans l'homme que dans la réalité quotidienne (fr. 705), dans l'Histoire, et dans les Écritures où « il y a de l'évidence et de l'obscurité, pour éclairer les uns et obscurcir les autres » (fr. 423). Ce qui prouve Dieu, c'est qu'on ne le trouve pas. Il est donc difficile d'aller vers lui parce qu'il ne se dévoile que progressivement même à ceux qui ont la volonté profonde d'aller à sa rencontre. Dieu veut qu'on fasse une démarche volontaire vers lui, un acte de foi. Il fait signe, mais n'impose rien. Il attend de nous voir venir. Ce qui est extraordinaire, c'est que toute cette divine stratégie semble n'avoir aucun secret pour Pascal. Il en a épousé la logique (fr. 264). Il lui arrive même de « doubler » Dieu, d'une voix fascinante et impérieuse (par exemple fr. 182).

Si le mouvement vers le « *Deus absconditus* » (fr. 644) implique le « cœur » (« C'est le cœur qui sent Dieu », fr. 680), la conversion véritable dépend du corps, de ce corps mécanique baptisé « automate » (fr. 661). Pour se rendre digne de la grâce divine, pour espérer être un élu, il faut non seulement intérieurement cesser de raisonner et même de penser (« Il faut se tenir en silence autant qu'on peut », fr. 132), mais aussi actionner la « machine » (fr. 39, 45) physique, l'accoutumer à plier les genoux. Le corps doit être forcé à faire des gestes de dévotion. Le meilleur moyen de croire, c'est finalement de s'habituer à s'humilier devant Dieu : « la coutume fait nos preuves les plus fortes et les plus crues : elle incline l'automate, qui entraîne l'esprit sans qu'il y pense » (fr. 661).

## Pascal, l'élu

Pascal apparaît d'abord comme un chrétien ordinaire témoignant des aberrations et des « agitations » (fr. 168) des incroyants ou « indifférents » qui l'entourent. Cependant, il appartient à une « maison » (fr. 434) qui a bénéficié de la faveur divine puisque sa nièce a été guérie par le miracle de la Sainte-Épine[1] ; Pascal a ainsi un lien privilégié avec Dieu. En tant qu'apologiste, il défend sa religion en jouant des rôles variés : un médiateur qui aide le lecteur à acquérir une certaine foi humaine, un croyant qui fait part de son expérience spirituelle, un chrétien qui n'hésite pas à sermonner ses congénères (fr. 24). Cette implication aux côtés de Dieu va jusqu'à l'abnégation. En effet, si Pascal déchiffre l'homme caché et explique la raison de ses contradictions (ses deux natures), ce n'est pas pour en faire l'éloge, c'est pour le pousser au sacrifice. Un véritable chrétien ne doit absolument rien

1. Le 24 mars 1656, Marguerite Périer, pensionnaire à Port-Royal, se serait trouvée miraculeusement guérie d'une fistule lacrymale (réputée à l'époque inguérissable) après avoir touché une relique : une épine qui aurait appartenu à la couronne que le Christ portait lors de sa Passion.

présenter de remarquable, de singulier ; il doit être intérieurement anéanti, dénué de particularités psychologiques (fr. 15). Le moi divertit de l'essentiel, il est donc « haïssable » (fr. 494). Il ne faut s'intéresser qu'à ce qui convertit, qu'à ce qui rapproche de Dieu. Significativement, peu avant la conclusion de l'apologie, le vrai chrétien est assimilé à un « membre » (fr. 405) dénué de toute autonomie, et l'ensemble des chrétiens à un « corps de membres pensants » (fr. 392).

Mais Pascal, à titre personnel, a un lien beaucoup plus fusionnel avec Dieu. Sa conversion à lui ne résulte pas du sentiment d'appartenir à une communauté spirituelle, mais d'une communication directe avec Dieu, d'une illumination qui eut lieu le 23 novembre 1654[1]. Lors de cette intense expérience mystique, nul besoin de raisonnement, ni des preuves « des philosophes et des savants » (fr. 742), ni de médiation : lorsque « c'est Dieu lui-même qui [...] incline [...] à croire » (fr. 412), la persuasion est instantanée et totale. Dieu a l'art de persuader. Pascal en a fait l'expérience. Lorsqu'il se fera apologiste, quelques années plus tard, il sera contraint d'attaquer l'incroyance en progressant par étapes, de façon logique et démonstrative (en témoignent les titres significatifs des dossiers : « Preuves de Moïse », « Preuves de Jésus-Christ », fr. 1), mais en sachant bien que ce n'est pas ainsi que Dieu procède dans la réalité. Pour suggérer comment Dieu agit, il faut court-circuiter tout ce qui est oratoire, privilégier la « digression » (fr. 329), l'éloquence douce et naturelle (fr. 485), et en même temps les formulations fulgurantes. En fait, dans l'apologie qu'il projetait, Pascal voulait à la fois démontrer Dieu et le « montrer toujours » (fr. 329).

Lorsqu'il propose sa médiation pour mener à Dieu, Pascal se montre, toutes proportions gardées, l'égal de Jésus-Christ.

1. Cette nuit-là, il vécut une extase mystique décisive dont il conserva en permanence le souvenir écrit sur un papier nommé le « Mémorial » (fr. 742), que l'on découvrit dans la doublure de son vêtement au moment de sa mort.

Comme lui, il se place sur le terrain de l'incroyant ; comme lui, il diffuse la bonne nouvelle ; comme lui, il révèle le sens caché des deux natures (« ange » / « bête », fr. 557) coexistant dans l'homme, et celui de l'Histoire et des Écritures (« le Vieux Testament est un chiffre », fr. 307) ; comme lui, il est destiné à servir et à s'effacer ; comme lui, enfin, il utilise un langage parfaitement simple, naturel (fr. 554), clair (fr. 340).

# Le styliste

## Une *mimêsis* de la Chute

En tant qu'écrivain, Pascal a cherché comment exprimer formellement la déchéance de l'homme séparé de Dieu. Il s'est d'abord appliqué à cultiver les formes morcelées et courtes : énoncés gnomiques, maximes (fr. 104), remarques détachées, notes de travail (fr. 79) ou de lectures, en latin (fr. 417), etc. Ses pensées sont lacunaires parce que l'homme déchu est affaibli (fr. 340). Ensuite, au niveau de la phrase, il multiplie les procédés de brisure : absence de liens interphrastiques (ou asyndètes, fr. 19), ruptures de construction (ou anacoluthes, fr. 525), inversions inattendues, phrases nominales (fr. 27), ellipses grammaticales, prolepses, etc. En perdant la sainteté, l'homme a perdu la syntaxe, le bon usage de la parole. Enfin, Pascal cherche l'économie des moyens et n'hésite pas à « répéter » (fr. 452) des idées, des phrases entières, des mots (fr. 166) : le lecteur, qui pour Pascal est très peu différent d'une bête, doit peu à peu s'imprégner, retrouver de bonnes dispositions, se « teindre de [la] créance » (fr. 661) en Dieu.

Pascal adore dédoubler ; il y a deux natures humaines, deux types de religions (fr. 252), deux sens des Écritures, deux sortes de Juifs et de chrétiens, etc. Pour lui, tout a deux faces. Et deux faces complètement opposées. Pascal a l'esprit de contradiction. Il multiplie les couples antithétiques[1] ; il est persuadé que la vérité réside dans la coexistence des contraires (en témoigne le significatif « il est vrai tout ensemble », fr. 690) parce que chacun d'eux correspond à une vérité partielle. Une vérité complète ne peut être trouvée qu'en cultivant la contradiction et en s'efforçant, au bout du compte, d'« accorder tous les [...] contraires » (fr. 289).

Outre la fracture et le culte de la contradiction, l'écriture des *Pensées* se caractérise par un jeu avec l'ordre. En effet, le lecteur a tantôt le sentiment d'être confronté à une pensée limitée et en miettes, tantôt celui d'être « embarqué » (fr. 680) dans de superbes constructions verbales régies par un ordre logico-sémantique strict. On est amené à faire le va-et-vient (fr. 636) entre un ordre perdu et un ordre parfait, un ordre monstrueux et un ordre à visée démonstrative. L'inachèvement de l'œuvre ne suffit pas à expliquer cette différence. En fait, il y a deux façons de concevoir l'ordre du monde, d'« envisage[r] la chose » (fr. 579) : soit adopter le point de vue de l'incroyant (fr. 102, 195, 686), soit adopter un point de vue sur l'incroyant, que ce soit celui de l'apologiste (fr. 168) ou celui de Dieu (fr. 182). Soit errer dans l'ordre humain, soit préférer l'ordre divin.

1. Par exemple : misère de l'homme / grandeur de l'homme, l'homme sans Dieu / l'homme avec Dieu, l'infiniment grand / l'infiniment petit, soumission de la raison / usage de la raison, Dieu partout caché / Dieu partout présent, divertissement / conversion, etc.

## L'ironiste

Pour pousser le lecteur à se tourner vers Dieu, Pascal recourt à l'ironie. C'est un procédé que *Les Provinciales* (1656-1657)[1] lui ont rendu familier. Cela permet d'amener le lecteur à se questionner. D'abord, ponctuellement : face à certaines expressions ou affirmations absurdes ou énigmatiques (fr. 53, 54), on est invité à réfléchir sur l'énonciation, à se demander qui parle (l'incroyant ? l'apologiste ? le peuple ?), et si celui qui parle exprime son opinion ou bien celle de quelqu'un d'autre, etc. De façon plus évidente, l'ironie peut aussi se manifester par l'antiphrase (« Le plaisant dieu que voilà ! », fr. 81). La feinte naïveté apparaît ensuite dans l'exposé sans commentaire de paradoxes et d'énormités relevés dans l'Histoire ou dans la vie quotidienne (voir ainsi la disproportion entre la cause et la conséquence, fr. 32, ou l'union surprenante des contraires, fr. 71). Parfois, Pascal ne se prive pas d'un certain rire sérieux, agressif, misanthropique, qui résulte du spectacle dérisoire de ce « *ridicolosissimo heroe* » (fr. 81) qu'est l'homme.

L'ironie est aussi une méthode de raisonnement qui consiste à feindre d'admettre les opinions de l'interlocuteur (du lecteur contemporain, de l'incroyant) pour en montrer les limites[2], l'amener à les réviser et à les dépasser. Cette méthode, inspirée de celle de Socrate[3], est à l'œuvre en particulier dans toute la première partie de l'apologie où l'image de l'homme puis les discours des philosophes sont discrédités ; c'est d'ailleurs à partir

1. Dans cet ouvrage polémique constitué de dix-huit lettres fictives publiées successivement sans nom d'auteur, Pascal utilise constamment l'ironie pour dénoncer un relâchement de la pratique religieuse des jésuites.
2. Par exemple, la façon dont est ironiquement dénoncée la prétention de l'incroyant à raisonner juste (fr. 680).
3. La méthode de Socrate consistait, par des questions inattendues et ingénieuses, à examiner et à ébranler le savoir apparent de son interlocuteur jusqu'à ce que celui-ci (re)connaisse qu'il ne sait rien.

de là (comme le montre le titre significatif de la première liasse de la deuxième partie : « Commencement ») que débute à proprement parler la démonstration de la vérité de la religion chrétienne (voir les titres des liasses : « Preuves de Jésus-Christ », « Preuves de Moïse », etc.).

De façon générale, du fait qu'il pose sur le monde un regard de chrétien, Pascal ne voit que des faux-semblants ; ainsi, l'habitude, l'opinion, la coutume règnent-elles au lieu respectivement de la nature, de la raison, de la justice. La vie sociale est dévaluée. L'homme lui-même est vidé de toute réalité ; ce n'est qu'un pantin aux yeux de Dieu, qu'un fantoche : « la vie est un songe » (fr. 653).

## Figures et vérité

Pour ruiner les faussetés humaines mais également pour réussir à faire agréer les vérités divines, Pascal use abondamment des moyens codifiés par la rhétorique. En particulier, il multiplie de façon très concertée, pour les besoins de son argumentation apologétique, des figures telles que la répétition (fr. 452), la périphrase (fr. 669), l'antithèse (fr. 466) et, surtout, la métaphore. Celle-ci doit faire l'effet d'un flash visuel, voire, lorsqu'elle est filée, d'une séquence éblouissante (fr. 197, 198, 686) ; elle a pour fonction d'arracher à sa torpeur l'incroyant, de l'électriser. Il est d'ailleurs tout à fait naturel de forger des images fortes pour représenter une réalité humaine qui n'est qu'un tissu d'images fausses, qu'une maudite comédie : « Nous ne sommes que mensonge, duplicité, contrariété, et nous cachons et nous déguisons à nous-mêmes » (fr. 539). Chez Pascal, les figures, et de façon générale les procédés poétiques, ne sont pas là pour décorer mais pour éclairer, pour dire la vérité sur la nature. L'imagination doit œuvrer positivement, pour la connaissance rationnelle. Poème et théorème doivent s'allier, doivent fusionner.

# CHRONOLOGIE

# 1623 1662
# 1623 1662

- Repères historiques et culturels
- Vie et œuvre de l'auteur

# Repères historiques et culturels

| | |
|---|---|
| **1610** | Lunette astronomique de Galilée. |
| **1615** | Invention du microscope. |
| **1623** | Premiers rapports de Saint-Cyran avec Port-Royal. |
| **1624-1642** | Richelieu ministre. |
| **1627** | Grotius, *La Vérité de la religion chrétienne.* |
| **1628** | Harvey démontre la circulation du sang. |
| **1632** | Rembrandt, *La Leçon d'anatomie.* |
| **1636** | Calderón, *La vie est un songe.* |
| **1637** | Corneille, *Le Cid.*<br>Descartes, *Discours de la méthode* et *La Dioptrique.* |

# Vie et œuvre de l'auteur

**1623** Le 19 juin, naissance de Blaise Pascal à Clermont-Ferrand, en Auvergne. Il a une sœur, Gilberte, née en 1620. Il est le fils d'Étienne Pascal, haut magistrat très cultivé et mathématicien connu, et d'Antoinette Begon.

**1625** Naissance de Jacqueline, sa sœur cadette.

**1626** Mort de sa mère.

**1631** La famille s'installe à Paris. Le père vend sa charge de président à la Cour des aides [1] en 1634 et place son argent pour vivre de rentes. Il entre en contact avec le monde scientifique et reçoit fréquemment des savants chez lui. Suivant des principes inspirés de Montaigne, il s'occupe personnellement de l'éducation de ses enfants.

**1634** À onze ans, le jeune Blaise écrit un *Traité des sons*.

**1635** À douze ans, sans avoir jamais appris la géométrie, il parvient à redécouvrir seul la trente-deuxième proposition d'Euclide (voir note 4, p. 162). Son père, stupéfait par sa précocité, l'emmène avec lui à des réunions de savants.

1. ***Cour des aides*** : administration qui jugeait les contentieux.

# Repères historiques et culturels

| | |
|---|---|
| 1638 | Détermination des tangentes d'une courbe, par Fermat. |
| 1640 | La Tour, *Le Tricheur à l'as de carreau*.<br>Publication posthume de l'*Augustinus* de Jansénius. |
| 1642 | Mort de Galilée.<br>Mort de Richelieu. |
| 1643 | Mort de Louis XIII. Louis XIV n'a que cinq ans. Sa mère, Anne d'Autriche, assure la régence avec l'aide de Mazarin.<br>Bulle papale confirmant la condamnation de l'*Augustinus*.<br>Première expérience de mesure de la pression atmosphérique, par Torricelli. |
| 1645 | Rotrou, *Saint Genest*. |

# Vie et œuvre de l'auteur

**1638** En mars, son père, qui a pris part à une manifestation contre le non-paiement des rentes de l'Hôtel de Ville, doit fuir les foudres de Richelieu et se cacher.

**1639** Les enfants Pascal fréquentent les cercles de la haute aristocratie parisienne. À quatorze ans, Jacqueline se révèle douée pour les lettres : ses pièces en vers sont admirées par les poètes Benserade et Georges de Scudéry. Le 3 avril, à l'issue d'une représentation de *L'Amour tyrannique* de Scudéry, où elle jouait, Jacqueline obtient de Richelieu la grâce de son père.
Blaise compose un *Essai sur les coniques* imprimé l'année suivante.

**1640** La famille Pascal déménage de Paris et s'installe à Rouen, où le père a été nommé adjoint à l'intendant de Normandie, chargé de répartir et de lever les impôts.

**1641** Mariage de Gilberte avec son cousin Florian Périer, à Rouen. Les Pascal se lient avec Pierre Corneille, alors en pleine gloire.

**1642-1645** En voyant son père effectuer certains calculs fiscaux, Blaise, à dix-neuf ans, conçoit une machine à calculer (la « Pascaline ») ; il faudra deux ans pour réussir à la faire fabriquer correctement en une dizaine d'exemplaires par un artisan rouennais ; le jeune homme devient une célébrité européenne.

# Repères historiques et culturels

| | |
|---|---|
| **1646** | Naissance de Leibniz. |
| **1647** | Gracián, *L'Homme de cour*. |
| **1648** | Début de la Fronde (révolte contre le pouvoir royal menée par les parlements puis par les princes). |

# Vie et œuvre de l'auteur

**1646** En janvier, les Pascal font la rencontre déterminante de deux disciples du maître spirituel de Port-Royal [1], l'abbé de Saint-Cyran, qui les amènent peu à peu à une vie chrétienne intense.
D'août à octobre, Étienne et Blaise réalisent pour la première fois en France une série d'expériences de physique tendant à prouver que le vide existe dans la nature.

**1647** De février à avril, affaire Saint-Ange : à Rouen, Pascal et deux amis attaquent les fantaisies théologiques d'un ancien capucin, Jacques Forton, sieur de Saint-Ange.
Au cours de l'été, Blaise tombe gravement malade.
Retour de toute la famille à Paris.
En septembre, il reçoit la visite de Descartes.
En octobre, publication de l'opuscule *Expériences nouvelles touchant le vide*.
Blaise et Jacqueline deviennent des familiers de Port-Royal de Paris. Jacqueline envisage d'y devenir religieuse.

**1648** Dans une lettre à Gilberte, Pascal se déclare partisan de la conception augustinienne de la grâce divine, telle qu'elle est exposée dans l'*Augustinus* de Jansénius.
Il poursuit ses recherches en physique.
Il fait exécuter par son beau-frère Florian Périer l'expérience du Puy-de-Dôme, qui confirme de façon décisive l'existence du vide et la pesanteur de l'air ; il écrit immédiatement le *Récit de la grande expérience de l'équilibre des liqueurs*, publié un mois plus tard.

---

1. Voir note 1, p. 9.

# Repères historiques et culturels

| | |
|---|---|
| **1651** | Hobbes, *Léviathan*. |
| **1652** | Fin de la Fronde. |
| **1653** | Condamnation, par la bulle *Cum occasione* du pape Innocent XI, de cinq propositions tirées de l'*Augustinus* de Jansénius. |

# Vie et œuvre de l'auteur

**1649** Pendant les désordres de la Fronde, Étienne, Blaise et Jacqueline préfèrent prudemment se réfugier à Clermont, chez les Périer.

**1650** En novembre, les Pascal retournent à Paris.

**1651** Pascal travaille à un *Traité du vide* dont il ne reste que la préface.
Le 24 septembre, mort d'Étienne Pascal.

**1652** Jacqueline devient religieuse à Port-Royal, malgré son frère. Pascal connaît une période de moindre ferveur chrétienne. Il fréquente les salons à la mode, donne des conférences de vulgarisation scientifique.

**1653** Pendant l'été, Pascal retrouve son ami le duc de Roannez, grand aristocrate passionné de mathématiques ; le duc lui présente le chevalier de Méré, théoricien de l'« honnêteté », et un célèbre joueur, Damien Miton. En compagnie de ces « honnêtes gens », plus ou moins libertins [1], il prend conscience de ce qu'est l'idéal mondain et l'« art d'agréer [2] ». Il envisage de se marier.

**1654** Poursuite de ses recherches en physique et en mathématiques.
En septembre, il confie à Jacqueline son dégoût du « monde ».
La nuit du 23 novembre, il vit une expérience mystique dont la trace est conservée dans le « Mémorial » (fr. 742, p. 151). Il se convertit définitivement, c'est-à-dire qu'il choisit de vivre en chrétien, tourné vers le Christ. Il renonce à se marier.

1. ***Libertins*** : voir note 1, p. 14.
2. ***Agréer*** : voir note 1, p. 16.

## Repères historiques et culturels

**1655** Mort de Cyrano de Bergerac.

**1657** Publication posthume des *États et empires de la Lune*, de Cyrano de Bergerac.
Nouvelle condamnation, par la bulle *Ad sacram* du pape Alexandre VII, des cinq propositions « au sens de Jansénius ».
L'Assemblée du clergé décide d'imposer aux prêtres et aux religieuses la signature d'un Formulaire antijanséniste.

**1658-1659** Molière s'installe à Paris, où il joue *Les Précieuses ridicule* (1659).

# Vie et œuvre de l'auteur

**1655** Pascal se retire pour prier et méditer à Port-Royal des Champs.
Il compose l'*Abrégé de la vie de Jésus-Christ* et rédige deux versions du traité *De l'esprit géométrique*.
Au printemps, il amène le duc de Roannez à se « convertir » et à se retirer à Port-Royal. Un parent du duc tente de faire assassiner Pascal. Celui-ci continue de fréquenter Méré et Miton. Mise au point d'une nouvelle méthode d'apprentissage de la lecture pour les écoles de Port-Royal.

**1656-1657** Pascal apporte son aide au grand théologien Antoine Arnauld, menacé de condamnation par la Sorbonne : sous un pseudonyme, il attaque les croyances tortueuses des jésuites et leur interprétation de la grâce dans la première *Provinciale*. Le succès est immédiat. Dix-sept autres *Lettres* suivront. Miracle de la Sainte-Épine opéré sur la jeune nièce de Pascal, Marguerite Périer, pensionnaire à Port-Royal de Paris.
Ce miracle semble être un signe de Dieu en faveur des religieuses.
Le 18 octobre 1657, *Les Provinciales* sont mises à l'*Index*[1].

**1658** Pascal se livre à des recherches en géométrie, tout en continuant de rédiger des écrits religieux : *Sur la conversion du pécheur* et *Comparaison des chrétiens des premiers temps avec ceux d'aujourd'hui*.
Il met en ordre les textes et notes préparatoires accumulés pour son *Apologie de la religion chrétienne* et effectue un classement en vingt-huit liasses. Il présente son projet au cours d'une conférence devant quelques amis, à Port-Royal.

1. L'*Index librorum prohibitorum* : catalogue des livres dont le Saint-Siège interdit la lecture, pour des motifs de doctrine ou de morale.

## Repères historiques et culturels

| | |
|---|---|
| **1659** | Le 7 novembre, traité des Pyrénées. |
| **1661** | Mort de Mazarin. Début du règne personnel de Louis XIV. Début de la construction du château de Versailles.<br>Arrestation de Fouquet, surintendant des Finances depuis 1653, accusé de malversations. |
| **1662** | Colbert devient contrôleur général des Finances.<br>Bossuet, *Sermon sur la mort*.<br>Arnauld et Nicole, *La Logique, ou l'Art de penser*. |
| **1664** | La Rochefoucauld, *Maximes*. |
| **1666** | Fondation de l'Académie des sciences.<br>Molière, *Le Misanthrope*. |

# Vie et œuvre de l'auteur

**1659** En février, Pascal tombe malade ; il vit dans un état de grande souffrance.
En novembre, il parvient à rédiger la *Prière pour demander à Dieu le bon usage des maladies.*

**1660** Il part se reposer chez sa sœur Gilberte. Pascal vit comme un chrétien austère, sévère envers lui-même et envers les autres.

**1661** Les persécutions contre Port-Royal reprennent.
Le Conseil d'État ordonne aux pensionnaires de signer le Formulaire de 1657, condamnant nommément Jansénius. Pascal, hostile à la signature, compose un *Écrit sur la signature du Formulaire*.
Mort de Jacqueline.
Vers la fin de l'année, Pascal se dispute avec les jansénistes Arnauld et Nicole, trop modérés dans la défense de la vérité, puis se retire des controverses pour se consacrer à son projet d'*Apologie*.
Les Périer s'installent à Paris.

**1662** De nouveau gravement malade, il donne sa maison à une famille pauvre et se fait transporter chez sa sœur Gilberte.
Il meurt le 19 août.
Vers la fin de l'année, un copiste met au propre deux « copies » des autographes retrouvés dans le bureau de Pascal.
Gilberte se met à rédiger la *Vie de M. Pascal*, qui sera publiée à Amsterdam en 1684.

**1667** Préparation de l'édition des « Pensées ».

**1670** Première édition des *Pensées*, dite « de Port-Royal ».

## Note sur la présente édition

Cette édition par extraits suit celle établie par Philippe Sellier pour le Mercure de France en 1976 et reprise pour les « Classiques Garnier » en 1991 (mise à jour en 1999) ; cette dernière reproduit le classement de la Seconde Copie du manuscrit autographe, la plus ancienne (voir présentation, p. 8). Cette Copie n'enregistre pas des documents traditionnellement adjoints aux *Pensées* ; ils sont donc ici présentés à la fin, comme dans l'édition Sellier (voir E. « Les fragments non enregistrés par la Seconde Copie », p. 151) : nous avons retenu trois fragments, qui appartiennent au « Manuscrit Périer » ; on désigne ainsi un ensemble de pensées que le neveu de Pascal, l'abbé Louis Périer, avait soustrait au copiste, et qui n'avaient pas un rapport direct avec l'*Apologie*.

On trouvera dans l'édition Sellier (Classiques Garnier, p. 620) une table de concordance entre son classement des fragments et celui réalisé par l'édition Lafuma.

Le choix des extraits regroupés dans ce volume répond au souci de donner des fragments représentatifs dans la quasi-totalité des soixante et une liasses constituant les *Pensées*, afin d'offrir des textes variés, et non pas seulement les morceaux d'anthologie. Par ailleurs, pour mettre en évidence la progression discontinue constitutive de l'œuvre, nous avons souvent privilégié des fragments qui formaient une série.

# Pensées

1. Cette « liasse » (ou dossier), à laquelle Pascal n'avait pas donné de titre, rassemble des notes sur les grands thèmes de ce qui devait constituer l'*Apologie de la religion chrétienne*. Elle permettait d'avoir une idée d'ensemble du contenu de l'œuvre projetée. Dans l'édition Sellier, que nous reprenons, ont été mis entre crochets les titres, ainsi que les numéros des liasses, qui ne sont pas de Pascal.
2. Ce fragment – reproduisant la disposition de l'original – devait être la table des matières de la future *Apologie* (concernant les indications de plan, voir aussi fr. 40 et 46). La Seconde Copie (voir présentation, note 2, p. 8), suivie par l'édition Sellier, le place en tête du projet de juin 1658, avant même la première liasse. D'autres éditeurs ont préféré situer cette table tout à fait à la fin, après le dossier XXVIII. Ici, pour des commodités de lecture, elle ouvre la première liasse.
3. ***APR*** : voir note 1, p. 70.
4. Les parenthèses et l'italique indiquent les passages rayés sur la Copie.

# A. Le projet de juin 1658

## [I. La liasse-table de juin 1658[1]]

Ordre

Vanité

Misère

Ennui

*(Opinion du peuple saines[4])*

Raison des effets
Grandeur

Contrariétés

Divertissement

Philosophes
Le souverain bien

I[2]

APR[3].
Commencement.
Soumission et usage de la raison.
Excellence.
Transition.
La nature est corrompue.
Fausseté des autres religions.
Religion aimable.
Fondement.
Loi figurative
Rabbinage.
Perpétuité.
Preuves de Moïse.
Preuves de Jésus-Christ.
Prophéties.
Figures.
Morale chrétienne.
Conclusion.

15

Il est injuste qu'on s'attache à moi, quoiqu'on le fasse avec plaisir et volontairement. Je tromperais ceux à qui j'en ferais naître le désir, car je ne suis la fin[1] de personne et n'ai pas de quoi les satisfaire. Ne suis-je pas prêt à[2] mourir ? et ainsi l'objet de leur attachement mourra. Donc, comme je serais coupable de faire croire une fausseté, quoique je la persuadasse doucement et qu'on la crût avec plaisir et qu'en cela on me fît plaisir, de même je suis coupable si je me fais aimer et si j'attire les gens à s'attacher à moi. Je dois avertir ceux qui seraient prêts à consentir au mensonge qu'ils ne le doivent pas croire, quelque avantage qui m'en revînt, et de même qu'ils ne doivent pas s'attacher à moi, car il faut qu'ils passent leur vie et leurs soins à plaire à Dieu ou à le chercher.

19

L'homme ne sait à quel rang se mettre. Il est visiblement égaré et tombé de son vrai lieu sans le pouvoir retrouver. Il le cherche partout avec inquiétude et sans succès dans des ténèbres impénétrables.

20

Nous souhaitons la vérité et ne trouvons en nous qu'incertitude.

Nous recherchons le bonheur et ne trouvons que misère et mort.

Nous sommes incapables de ne pas souhaiter la vérité et le bonheur et sommes incapables ni de certitude ni de bonheur.

Ce désir nous est laissé tant pour nous punir que pour nous faire sentir d'où nous sommes tombés.

---

1. ***Fin*** : objet ou cause qui fait agir quelqu'un (Dictionnaire Furetière).
2. ***Prêt à*** : près de.

21

Preuves de la religion.

Morale. / Doctrine. / Miracles. / Prophéties. / Figures.

22

Misère.

Salomon et Job [1] ont le mieux connu et le mieux parlé de la misère de l'homme, l'un le plus heureux et l'autre le plus malheureux, l'un connaissant la vanité des plaisirs par expérience, l'autre la réalité des maux.

23

Toutes ces contrariétés [2] qui semblaient le plus m'éloigner de la connaissance d'une religion est ce qui m'a le plus tôt conduit à la véritable.

24

Je blâme également et ceux qui prennent parti de louer l'homme et ceux qui le prennent de le blâmer et ceux qui le prennent de se divertir et je ne puis approuver que ceux qui cherchent en gémissant.

25

Instinct, raison.

Nous avons une impuissance de prouver invincible à tout le dogmatisme [3].

---

1. Dans la Bible, Salomon et Job (le premier dans l'Ecclésiaste, le second dans le Livre de Job) sont deux justes qui s'interrogent sur le bien et le mal ici-bas. Salomon, en bonne santé, constate l'inanité du bonheur. Job, souffrant, cherche les raisons de son malheur. Tous deux clament la vanité de la vie humaine.
2. ***Contrariétés*** : contradictions.
3. ***Invincible à tout le dogmatisme*** : que le dogmatisme ne peut vaincre, ne peut dépasser. Les dogmatiques sont représentés par les stoïciens (ou .../...

Nous avons une idée de la vérité invincible à tout le pyrrhonisme[1].

26

Les stoïques[2] disent : « Rentrez au-dedans de vous-même. C'est là où vous trouverez votre repos. » – Et cela n'est pas vrai.

Les autres[3] disent : « Sortez dehors et cherchez le bonheur en un divertissement. » Et cela n'est pas vrai. Les maladies viennent.

Le bonheur n'est ni hors de nous ni dans nous. Il est en Dieu, et hors et dans nous.

27

Une *Lettre*[4] de la folie de la science humaine et de la philosophie.

Cette *Lettre* avant *Le divertissement.*

*Felix qui potuit*[5].

*Felix nihil admirari*[6].

Deux cent quatre-vingts sortes de souverain bien dans Montaigne[7].

---

.../... stoïques ; voir note 4, p. 10) mais aussi par les disciples d'Épicure (341-270 av. J.-C.), selon qui sagesse et bonheur ne peuvent être atteints que par la recherche du plaisir.

1. ***Pyrrhonisme*** : voir note 3, p. 10.
2. ***Stoïques*** : voir note 4, p. 10.
3. ***Les autres*** : les disciples d'Épicure (voir ci-dessus).
4. Après le succès des *Provinciales*, Pascal était convaincu de l'efficacité de la forme courte de la lettre. Aussi projetait-il d'en insérer des fictives dans son *Apologie*.
5. « Heureux qui a pu [pénétrer les causes des choses]... » (Virgile, *Géorgiques*, II, v. 490 ; cité par Montaigne, *Essais*, III, 10).
6. « Heureux de ne s'étonner de rien » (Horace, *Épîtres*, I, cité par Montaigne, *Essais*, II, 12).
7. « Il n'est point de combat si violent entre les philosophes, et si âpre, que celui qui se dresse sur la question du souverain bien de l'homme : duquel, d'après le calcul de Varro, naquirent deux cent quatre-vingts sectes [...] » (Montaigne, *Essais*, II, 12).

31

Les hommes sont si nécessairement fous que ce serait être fou par un autre tour de folie de n'être pas fou.

32

Qui voudra connaître à plein la vanité de l'homme n'a qu'à considérer les causes et les effets de l'amour. La cause en est un *Je ne sais quoi*. Corneille[1]. Et les effets en sont effroyables. Ce *Je ne sais quoi*, si peu de chose qu'on ne peut le reconnaître, remue toute la terre, les princes, les armées, le monde entier.

Le nez de Cléopâtre s'il eût été plus court toute la face de la terre aurait changé.

# [II] Ordre

38

Ordre
par dialogues[2].

« Que dois-je faire ? Je ne vois partout qu'obscurités. Croirai-je que je ne suis rien ? Croirai-je que je suis Dieu ? »

—

« Toutes choses changent et se succèdent. »
« Vous vous trompez, il y a… »

—

---

**1.** Pascal fait ici référence à la tragédie *Médée* (1635), de Corneille : « Souvent je ne sais quoi, qu'on ne peut exprimer, / Nous surprend, nous emporte et nous force d'aimer » (acte II, scène 6).

**2.** Pascal voulait mêler dialogues, lettres (voir note 4, p. 48), petites énigmes, remarques, versets, exégèses bibliques, grands mouvements oratoires, etc., dans l'ouvrage apologétique qu'il projetait, afin de le rendre plus attractif que ceux de ses contemporains.

« Et quoi ne dites-vous pas vous-même que le ciel et les oiseaux prouvent Dieu ? » Non. « Et votre religion ne le dit-elle pas ? » Non. Car encore que cela est vrai en un sens pour quelques âmes [1] à qui Dieu donna cette lumière, néanmoins cela est faux à l'égard de la plupart.

—

Lettre pour porter à rechercher Dieu [2].

Et puis le faire chercher chez les philosophes, pyrrhoniens et dogmatistes [3], qui travailleront [4] celui qui les recherche.

39

Ordre.

Une lettre d'exhortation à un ami pour le porter à chercher. Et il répondra : « Mais à quoi me servira de chercher ? Rien ne paraît. » Et lui répondre : « Ne désespérez pas. » Et il répondrait qu'il serait heureux de trouver quelque lumière, mais que selon cette religion même, quand il croirait ainsi, cela ne lui servirait de rien et qu'ainsi il aime autant ne point chercher. Et à cela lui répondre : « La machine [5]. »

40 

Première partie : Misère de l'homme sans Dieu.

Deuxième partie : Félicité de l'homme avec Dieu.

—

1. Il s'agit de Platon et de ses disciples, auxquels saint Augustin applique ces versets de saint Paul : « Ce qui est connu de Dieu, Dieu lui-même le leur a manifesté quand leur intelligence a perçu à travers ces créatures ses perfections invisibles, son éternelle puissance aussi, et sa divinité (Épître de saint Paul aux Romains, 1, 19-20).

2. Voir note 4, p. 48, et fr. 681.

3. ***Pyrrhoniens et dogmatistes*** : voir note 3, p. 10, et note 3, p. 47.

4. ***Travailleront*** : tourmenteront, troubleront.

5. Voir fr. 45.

autrement

Première partie : Que la nature est corrompue, par la nature même[1].

Deuxième partie : Qu'il y a un Réparateur[2], par l'Écriture.

45

Ordre[3]. Après la lettre qu'on doit chercher Dieu[4], faire la lettre d'ôter les obstacles, qui est le discours de la machine[5], de préparer la machine, de chercher par raison.

46

Ordre.

Les hommes ont mépris pour la religion, ils en ont haine et peur qu'elle soit vraie. Pour guérir cela il faut commencer par montrer que la religion n'est point contraire à la raison. Vénérable, en donner respect. La rendre ensuite aimable, faire souhaiter aux bons qu'elle fût vraie, et puis montrer qu'elle est vraie.

Vénérable parce qu'elle a bien connu l'homme.

Aimable parce qu'elle promet le vrai bien.

## [III] Vanité

47

Deux visages semblables, dont aucun ne fait rire en particulier, font rire ensemble par leur ressemblance.

---

1. ***Par la nature même*** : en utilisant la nature elle-même pour le montrer.
2. ***Réparateur*** : Jésus-Christ, qui, en donnant sa vie, rachète la faute originelle d'Adam.
3. Ici, le titre du fragment se trouvait dans la marge.
4. Voir fr. 38.
5. Voir fr. 680 (« Le pari »). Sous l'influence de Descartes, Pascal est convaincu que l'homme (déchu) est un mécanisme, un automate, qu'il fonctionne machinalement.

53

Il a quatre laquais.

54

Il demeure au-delà de l'eau.

55

Si on est trop jeune on ne juge pas bien, trop vieux de même. [...]

—

Ainsi les tableaux vus de trop loin et de trop près. Et il n'y a qu'un point indivisible qui soit le véritable lieu. Les autres sont trop près, trop loin, trop haut ou trop bas. La perspective l'assigne[1] dans l'art de la peinture. Mais dans la vérité et dans la morale, qui l'assignera ?

56

La puissance des mouches : elles gagnent des batailles[2], empêchent notre âme d'agir, mangent notre corps.

59

La coutume de voir les rois accompagnés de gardes, de tambours, d'officiers et de toutes les choses qui ploient la machine[3] vers le respect et la terreur font que leur visage, quand il est quelquefois seul et sans ces accompagnements, imprime dans leurs sujets le respect et la terreur parce qu'on ne sépare point dans la pensée leur personne d'avec leur suite qu'on y voit d'ordinaire jointe. Et le monde qui ne sait pas que cet effet vient de cette coutume croit qu'il vient d'une force naturelle. Et de là viennent ces mots : *Le caractère de la divinité est empreint sur son visage*, etc.

---

1. ***L'assigne*** : le détermine, le donne.
2. Voir note 1, p. 10.
3. ***La machine*** : ici, le corps.

## 66

### Vanité.

Les respects signifient : Incommodez-vous[1].

## 69

### Talon de soulier.

Ô que cela est bien tourné ! Que voilà un habile ouvrier ! Que ce soldat est hardi ! Voilà la source de nos inclinations[2] et du choix des conditions[3]. Que celui-là boit bien ! Que celui-là boit peu ! Voilà ce qui fait les gens sobres et ivrognes, soldats, poltrons, etc.

## 70

Qui ne voit pas la vanité du monde est bien vain lui-même.

Aussi qui ne la voit, excepté de jeunes gens qui sont tous dans le bruit, dans le divertissement et dans la pensée de l'avenir ?

Mais ôtez leur divertissement, vous les verrez se sécher d'ennui.

Ils sentent alors leur néant sans le connaître, car c'est bien être malheureux que d'être dans une tristesse insupportable aussitôt qu'on est réduit à se considérer et à n'en être point diverti.

## 71

### Métiers.

La douceur de la gloire est si grande qu'à quelque objet qu'on l'attache, même à la mort, on l'aime.

## 72

Trop et trop peu de vin. Ne lui en donnez pas, il ne peut trouver la vérité. Donnez-lui en trop, de même.

---

1. ***Incommodez-vous*** : indisposez-vous (devant moi) ; voir fr. 115.
2. ***Inclinations*** : goûts.
3. ***Conditions*** : situations sociales.

73

Les hommes s'occupent à suivre une balle et un lièvre. C'est le plaisir même des rois.

74

Quelle vanité que la peinture, qui attire l'admiration par la ressemblance des choses dont on n'admire pas les originaux[1] !

75

Quand on lit trop vite ou trop doucement on n'entend rien[2].

76

Combien de royaumes nous ignorent !

77

Peu de chose nous console parce que peu de chose nous afflige.

78[3]

Imagination.

[...] Cette superbe[4] puissance ennemie de la raison, qui se plaît à la contrôler et à la dominer, pour montrer combien elle peut en toutes choses, a établi dans l'homme une seconde nature. Elle a ses heureux, ses malheureux, ses sains, ses malades, ses riches, ses pauvres. Elle fait croire, douter, nier la raison. Elle suspend les sens, elle les fait sentir. Elle a ses fous et ses sages, et rien ne nous dépite[5] davantage que de voir qu'elle remplit ses

---

**1.** ***Par la ressemblance des choses dont on n'admire pas les originaux*** : par la ressemblance avec un modèle qu'on n'admire pas pour lui-même.

**2.** ***On n'entend rien*** : on ne comprend rien.

**3.** Ce fragment contient des réminiscences de Montaigne, *Essais*, II, 2, et III, 8.

**4.** ***Superbe*** : orgueilleuse.

**5.** ***Dépite*** : attriste.

hôtes d'une satisfaction bien autrement pleine et entière que la raison. Les habiles par imagination se plaisent tout autrement à eux-mêmes que les prudents[1] ne se peuvent raisonnablement[2] plaire. Ils regardent les gens avec empire, ils disputent avec hardiesse et confiance, les autres avec crainte et défiance. Et cette gaieté de visage leur donne souvent l'avantage dans l'opinion des écoutants, tant les sages imaginaires ont de faveur auprès de leurs juges de même nature.

Elle ne peut rendre sages les fous, mais elle les rend heureux, à l'envi de[3] la raison, qui ne peut rendre ses amis que misérables, l'une les couvrant de gloire, l'autre de honte.

Qui dispense la réputation[4], qui donne le respect et la vénération aux personnes, aux ouvrages, aux lois, aux grands, sinon cette faculté imaginante ? Combien toutes les richesses de la terre insuffisantes sans son consentement.

Ne diriez-vous pas que ce magistrat dont la vieillesse vénérable impose le respect à tout un peuple se gouverne par une raison pure et sublime et qu'il juge des choses par leur nature sans s'arrêter à ces vaines circonstances qui ne blessent que[5] l'imagination des faibles ? Voyez-le entrer dans un sermon où il apporte un zèle tout dévot, renforçant la solidité de sa raison par l'ardeur de sa charité. Le[6] voilà prêt à l'ouïr avec un respect exemplaire. Que le prédicateur[7] vienne à paraître, si la nature lui a donné une voix enrouée et un tour de visage bizarre, que son barbier l'ait mal rasé, si le hasard l'a encore barbouillé de surcroît, quelques grandes vérités qu'il annonce, je parie la perte de la gravité de notre sénateur[8].

---

1. ***Prudents*** : sages.
2. ***Raisonnablement*** : par la raison.
3. ***À l'envi de*** : contrairement à.
4. ***Réputation*** : notoriété.
5. ***Ces vaines circonstances qui ne blessent que*** : ces circonstances secondaires qui ne frappent que.
6. ***Le*** : ce pronom désigne le peuple.
7. ***Prédicateur*** : celui qui prêche, qui fait un sermon.
8. ***Sénateur*** : magistrat.

Le plus grand philosophe du monde sur une planche plus large qu'il ne faut, s'il y a au-dessous un précipice, quoique sa raison le convainque de sa sûreté, son imagination prévaudra [1]. Plusieurs n'en sauraient soutenir la pensée sans pâlir et suer. [...]

## 79

Vanité.

La cause et les effets de l'amour.

Cléopâtre [2].

## 80

Nous ne nous tenons jamais au temps présent. Nous anticipons l'avenir comme trop lent à venir, comme pour hâter son cours, ou nous rappelons le passé pour l'arrêter comme trop prompt [3], si imprudents que nous errons dans les temps qui ne sont point nôtres et ne pensons point au seul qui nous appartient, et si vains que nous songeons à ceux qui ne sont rien, et échappons [4] sans réflexion le seul qui subsiste. C'est que le présent d'ordinaire nous blesse. Nous le cachons à notre vue parce qu'il nous afflige, et s'il nous est agréable nous regrettons de le voir échapper. Nous tâchons de le soutenir [5] par l'avenir et pensons à disposer les choses qui ne sont pas en notre puissance pour un temps où nous n'avons aucune assurance d'arriver.

Que chacun examine ses pensées, il les trouvera toutes occupées au passé ou à l'avenir. Nous ne pensons presque point au présent, et si nous y pensons, ce n'est que pour en prendre la lumière pour disposer de l'avenir. Le présent n'est jamais notre fin. Le passé et le présent sont nos moyens, le seul avenir est

---

1. ***Prévaudra*** : l'emportera.
2. Ces notes sont probablement destinées à marquer la place prévue pour le fr. 32, provisoirement utilisé dans la première liasse (voir p. 49).
3. ***Prompt*** : rapide.
4. ***Échappons*** : laissons échapper.
5. ***Soutenir*** : supporter.

notre fin. Ainsi nous ne vivons jamais, mais nous espérons de vivre, et nous disposant toujours à être heureux, il est inévitable que nous ne le soyons jamais.

81

L'esprit de ce souverain juge du monde n'est pas si indépendant qu'il ne soit sujet à être troublé par le premier tintamarre qui se fait autour de lui. Il ne faut pas le bruit d'un canon pour empêcher ses pensées. Il ne faut que le bruit d'une girouette ou d'une poulie. Ne vous étonnez point, s'il ne raisonne pas bien à présent, une mouche bourdonne à ses oreilles. C'en est assez pour le rendre incapable de bon conseil[1]. Si vous voulez qu'il puisse trouver la vérité, chassez cet animal qui tient sa raison en échec et trouble cette puissante intelligence qui gouverne les villes et les royaumes.

Le plaisant dieu que voilà ! *O ridicolosissimo heroe*[2] *!*

84

« Pourquoi me tuez-vous ? » – « Et quoi, ne demeurez-vous pas de l'autre côté de l'eau ? Mon ami, si vous demeuriez de ce côté, je serais un assassin et cela serait injuste de vous tuer de la sorte. Mais puisque vous demeurez de l'autre côté, je suis un brave et cela est juste. »

## [IV] Misère

86

Bassesse de l'homme jusqu'à se soumettre aux bêtes, jusques à les adorer.

---

**1.** ***Conseil*** : réflexion.

**2.** Apostrophe extraite d'un éloge héroï-comique du farceur italien Scaramouche (1657).

## 92

La tyrannie consiste
au désir de domination
universel et hors de
son ordre.

Diverses chambres[1], de forts, de beaux, de bons esprits, de pieux, dont chacun règne chez soi[2], non ailleurs, et quelquefois ils se rencontrent. Et le fort et le beau se battent sottement à qui sera le maître l'un de l'autre, car leur maîtrise est de divers genre. Ils ne s'entendent pas. Et leur faute est de vouloir régner partout. Rien ne le peut, non pas même la force. Elle ne fait rien au royaume des savants. Elle n'est maîtresse que des actions extérieures.

## 93

Quand il est question de juger si on doit faire la guerre et tuer tant d'hommes, condamner tant d'Espagnols à la mort, c'est un homme seul qui en juge, et encore intéressé[3]. Ce devrait être un tiers indifférent[4].

## 94[5]

Sur quoi la fondera-t-il, l'économie du monde[6] qu'il veut gouverner ? Sera-ce sur le caprice de chaque particulier, quelle confusion ! Sera-ce sur la justice, il l'ignore. Certainement, s'il la connaissait, il n'aurait pas établi cette maxime, la plus générale de toutes celles qui sont parmi les hommes : que chacun suive les mœurs de son pays. L'éclat de la véritable équité aurait assujetti

---

1. ***Chambres*** : lieux, assemblées.
2. Il faut comprendre : en divers lieux, on peut rencontrer des esprits forts, beaux, bons, pieux, qui ont chacun l'habitude de régner chez eux (dans leur domaine).
3. ***Intéressé*** : qui a des intérêts dans l'affaire.
4. ***Un tiers indifférent*** : une personne neutre, extérieure à l'affaire.
5. Ce fragment contient de nombreux emprunts à Montaigne, *Essais*, II, 12.
6. ***L'économie du monde*** : l'organisation de la société.

tous les peuples. Et les législateurs n'auraient pas pris pour modèle, au lieu de cette justice constante, les fantaisies et les caprices [1] des Perses et Allemands. On la verrait plantée par tous les États du monde et dans tous les temps, au lieu qu'on ne voit rien de juste ou d'injuste qui ne change de qualité en changeant de climat. Trois degrés d'élévation du pôle [2] renversent toute la jurisprudence. Un méridien [3] décide de la vérité. En peu d'années de possession les lois fondamentales changent. Le droit a ses époques, l'entrée de Saturne au Lion [4] nous marque l'origine d'un tel crime. Plaisante [5] justice qu'une rivière borne [6] ! Vérité au-deçà des Pyrénées, erreur au-delà. [...]

95

Justice.

Comme la mode fait l'agrément [7] aussi fait-elle la justice.

97

La gloire [8].

L'admiration gâte tout dès l'enfance. Ô que cela est bien dit, ô qu'il a bien fait, qu'il est sage, etc. Les enfants de Port-Royal auxquels on ne donne point cet aiguillon d'envie et de gloire tombent dans la nonchalance [9].

---

1. ***Les fantaisies et les caprices*** : les règles changeantes.
2. ***Trois degrés d'élévation du pôle*** : un petit déplacement géographique.
3. ***Méridien*** : cercle imaginaire passant par les deux pôles terrestres.
4. Par l'expression « l'entrée de Saturne au Lion », Pascal se réfère aux phénomènes astrologiques.
5. ***Plaisante*** : risible, ridicule.
6. ***Borne*** : délimite.
7. ***L'agrément*** : le charme.
8. ***Gloire*** : orgueil.
9. ***Nonchalance*** : paresse.

## 98

Mien, tien.

« Ce chien est à moi », disaient ces pauvres enfants. « C'est là ma place au soleil. » Voilà le commencement et l'image de l'usurpation[1] de toute la terre.

## 100

Injustice.

Il est dangereux de dire au peuple que les lois ne sont pas justes, car il n'y obéit qu'à cause qu'il les croit justes. C'est pourquoi il lui faut dire en même temps qu'il y faut obéir parce qu'elles sont lois comme il faut obéir aux supérieurs non pas parce qu'ils sont justes, mais parce qu'ils sont supérieurs. Par là voilà toute sédition[2] prévenue[3] si on peut faire entendre cela et que proprement [c'est] la définition de la justice.

## 102

Quand je considère la petite durée de ma vie absorbée dans l'éternité précédente et suivante, *memoria hospitis unius diei praetereuntis*[4], le petit espace que je remplis et même que je vois, abîmé dans l'infinie immensité des espaces que j'ignore et qui m'ignorent, je m'effraie et m'étonne de me voir ici plutôt que là, car il n'y a point de raison pour quoi ici plutôt que là, pour quoi à présent plutôt que lors. Qui m'y a mis ? Par l'ordre et la conduite de qui ce lieu et ce temps a-t-il été destiné à moi ?

---

1. ***Usurpation*** : appropriation injustifiée. La Terre a été créée par Dieu pour tous les hommes.
2. ***Sédition*** : révolte.
3. ***Prévenue*** : empêchée.
4. « La mémoire d'un hôte logé pour un jour, qui passe outre » (Livre de la Sagesse, 5, 14).

103

Misère.

Job et Salomon[1].

104

Si notre condition était véritablement heureuse, il ne faudrait pas nous divertir[2] d'y penser.

## [V] Ennui et qualités essentielles à l'homme

112

Orgueil.

Curiosité[3] n'est que vanité le plus souvent. On ne veut savoir que pour en parler. Autrement on ne voyagerait pas sur la mer pour ne jamais en rien dire et pour le seul plaisir de voir, sans espérance d'en jamais communiquer.

113

Description de l'homme.

Dépendance, désir d'indépendance, besoins.

114

L'ennui[4] qu'on a de quitter les occupations où l'on s'est attaché. Un homme vit avec plaisir en son ménage. Qu'il voie une femme qui lui plaise, qu'il joue cinq ou six jours avec plaisir,

1. Notes marquant l'emplacement du fr. 22, provisoirement placé dans la première liasse (voir p. 47).
2. **_Divertir_** : détourner.
3. **_Curiosité_** : désir effréné de tout voir (qui détourne de l'essentiel).
4. **_Ennui_** : déplaisir.

le voilà misérable s'il retourne à sa première occupation. Rien n'est plus ordinaire que cela.

## [VI] Raison des effets[1]

115

Le respect est : Incommodez-vous.

Cela est vain[2] en apparence, mais très juste, car c'est dire : Je m'incommoderais bien si vous en aviez besoin, puisque je le fais bien sans que cela vous serve. Outre que le respect est pour[3] distinguer les Grands. Or si le respect était d'être en fauteuil, on respecterait tout le monde et ainsi on ne distinguerait pas. Mais étant incommodé, on distingue fort bien.

120

*Veri juris*[4]. Nous n'en avons plus. Si nous en avions, nous ne prendrions pas pour règle de justice de suivre les mœurs de son pays.

C'est là que ne pouvant trouver le juste, on a trouvé le fort, etc.

123

Raison des effets.

Cela est admirable : on ne veut pas que j'honore un homme vêtu de brocatelle[5], et suivi de sept ou huit laquais. Et quoi, il me fera donner les étrivières[6], si je ne le salue. Cet habit, c'est une

1. ***Raison des effets*** : explication profonde de certains phénomènes, cause réelle de comportements en apparence irrationnels.
2. ***Vain*** : dépourvu de sens.
3. ***Est pour*** : sert à.
4. « *Du véritable droit* [et de la justice parfaite nous ne possédons pas de modèle...] » (Cicéron, *De officiis*, III, 17, cité par Montaigne, *Essais*, III, 1).
5. ***Brocatelle*** : riche tissu de soie orné de petits dessins en fils d'or.
6. ***Donner les étrivières*** : fouetter.

force. C'est bien de même qu'un cheval bien enharnaché[1] à l'égard d'un autre. Montaigne est plaisant de ne pas voir quelle différence il y a, et d'admirer qu'on y en trouve, et d'en demander la raison[2]. DE VRAI, dit-il, D'OÙ VIENT, etc.

## 124

### Raison des effets.

Gradation. Le peuple honore les personnes de grande naissance. Les demi-habiles[3] les méprisent, disant que la naissance n'est pas un avantage de la personne, mais du hasard. Les habiles les honorent, non par la pensée du peuple, mais par la pensée de derrière[4]. Les dévots, qui ont plus de zèle que de science, les méprisent, malgré[5] cette considération qui les fait honorer par les habiles, parce qu'ils en jugent par une nouvelle lumière que la piété leur donne. Mais les chrétiens parfaits les honorent par une autre lumière supérieure.

Ainsi se vont les opinions succédant du pour au contre, selon qu'on a de lumière[6].

## 125

### Raison des effets.

Il faut avoir une pensée de derrière, et juger de tout par là, en parlant cependant comme le peuple.

---

1. ***Enharnaché*** : harnaché, équipé.
2. « Pourquoi, estimant un homme, l'estimez-vous tout enveloppé et empaqueté ? » (Montaigne, *Essais*, I, 42).
3. ***Demi-habiles*** : demi-savants.
4. ***Pensée de derrière*** : arrière-pensée.
5. ***Malgré*** : non pas en raison de.
6. ***Selon qu'on a de lumière*** : selon la connaissance profonde, l'intelligence qu'on a de la réalité.

## 126

### Raison des effets.

Il est donc vrai de dire que tout le monde est dans l'illusion, car encore que les opinions du peuple soient saines [1], elles ne le sont pas dans sa tête. Car il pense que la vérité est où elle n'est pas. La vérité est bien dans leurs opinions, mais non pas au point où ils se figurent. Il est vrai qu'il faut honorer les gentilshommes, mais non pas parce que la naissance est un avantage effectif, etc.

## 127

### Raison des effets.

Renversement continuel du pour au contre.

Nous avons donc montré que l'homme est vain par l'estime qu'il fait des choses qui ne sont point essentielles. Et toutes ces opinions sont détruites.

Nous avons montré ensuite que toutes ces opinions sont très saines et qu'ainsi toutes ces vanités étant très bien fondées, le peuple n'est pas si vain [2] qu'on dit. Et ainsi nous avons détruit l'opinion qui détruisait celle du peuple.

Mais il faut détruire maintenant cette dernière proposition et montrer qu'il demeure toujours vrai que le peuple est vain, quoique ses opinions soient saines, parce qu'il n'en sent pas la vérité où elle est et que, la mettant où elle n'est pas, ses opinions sont toujours très fausses et très mal saines.

## 128

### Opinions du peuple saines.

Le plus grand des maux est les guerres civiles.

---

**1.** ***Saines*** : exactes, droites, justes.

**2.** ***Vain*** : creux, futile, dérisoire, stupide.

Elles sont sûres, si on veut récompenser les mérites, car tous diront qu'ils méritent[1]. Le mal à craindre d'un sot qui succède par droit de naissance n'est ni si grand, ni si sûr.

## 129

Opinions du peuple saines.

Être brave[2] n'est pas trop vain, car c'est montrer qu'un grand nombre de gens travaillent pour soi. C'est montrer par ses cheveux qu'on a un valet de chambre, un parfumeur, etc. Par son rabat, le fil, le passement, etc. Or ce n'est pas une simple superficie[3] ni un simple harnais[4] d'avoir plusieurs bras.

Plus on a de bras, plus on est fort. Être brave, c'est montrer sa force.

## 132

[...] L'homme est ainsi fait qu'à force de lui dire qu'il est un sot, il le croit. Et à force de se le dire à soi-même, on se le fait croire. Car l'homme fait lui seul une conversation intérieure, qu'il importe de bien régler. *Corrumpunt bonos mores colloquia prava*[5]. Il faut se tenir en silence autant qu'on peut, et ne s'entretenir que de Dieu, qu'on sait être la vérité. Et ainsi on se le persuade à soi-même.

## 134

Le peuple a les opinions très saines. Par exemple :

---

**1.** ***Tous diront qu'ils méritent*** : tous ceux qui prétendent au pouvoir diront qu'ils le méritent. Si l'on cherche à fonder le pouvoir sur le mérite, les guerres civiles sont inévitables.

**2.** ***Être brave*** : être bien vêtu, richement et avec élégance.

**3.** ***Superficie*** : superficialité.

**4.** ***Simple harnais*** : ici, simple accoutrement.

**5.** « Les mauvais entretiens corrompent les bonnes mœurs » (saint Paul, Première Épître aux Corinthiens 15, 33).

1. D'avoir choisi le divertissement, et la chasse plutôt que la prise[1]. Les demi-savants s'en moquent et triomphent à montrer là-dessus la folie du monde. Mais par une raison qu'ils ne pénètrent pas on[2] a raison.

2. D'avoir distingué les hommes par le dehors, comme par la noblesse ou le bien. Le monde[3] triomphe encore à montrer combien cela est déraisonnable. Mais cela est très raisonnable. Cannibales, se rient d'un enfant roi[4].

3. De s'offenser pour avoir reçu un soufflet[5], ou de tant désirer la gloire.

Mais cela est très souhaitable à cause des autres biens essentiels qui y sont joints. Et un homme qui a reçu un soufflet sans s'en ressentir, est accablé d'injures et de nécessités.

—

4. Travailler pour l'incertain, aller sur la mer, passer sur une planche[6].

---

1. ***La prise***: la proie, le butin de la chasse (voir aussi l'exemple du joueur, fr. 168).
2. ***On*** : le pronom indéfini désigne le peuple.
3. ***Le monde*** : la bonne société.
4. Dans le chapitre « Des cannibales » (*Essais*, I, 31), Montaigne raconte que des Indiens brésiliens, de passage à Rouen, « trouvaient fort étrange que tant de grands hommes, portant barbe, forts et armés, qui étaient autour du roi [...] se soumissent à obéir à un enfant ».
5. ***Soufflet*** : gifle, affront.
6. Ces actions ont en commun de paraître « folles » à première vue, mais elles traduisent une volonté de dépassement (voir fr. 480).

# [VII] Grandeur

## 138

Grandeur.

La raison des effets marque la grandeur de l'homme, d'avoir tiré de la concupiscence[1] un si bel ordre.

## 142

Nous connaissons la vérité non seulement par la raison, mais encore par le cœur. C'est de cette dernière sorte que nous connaissons les premiers principes, et c'est en vain que le raisonnement, qui n'y a point de part, essaie de les combattre. Les pyrrhoniens[2], qui n'ont que cela pour objet, y travaillent inutilement. Nous savons que nous ne rêvons point, quelque impuissance où nous soyons de le prouver par raison. Cette impuissance ne conclut autre chose que la faiblesse de notre raison, mais non pas l'incertitude de toutes nos connaissances, comme ils le prétendent.

Car la connaissance des premiers principes comme qu'il y a espace, temps, mouvement, nombres, [est] aussi ferme qu'aucune de celles que nos raisonnements nous donnent. Et c'est sur ces connaissances du cœur et de l'instinct qu'il faut que la raison s'appuie et qu'elle y fonde tout son discours. Le cœur sent qu'il y a trois dimensions dans l'espace et que les nombres sont infinis, et la raison démontre ensuite qu'il n'y a point deux nombres carrés dont l'un soit double de l'autre. Les principes se sentent, les propositions se concluent, et le tout avec certitude, quoique par différentes voies, et il est aussi inutile et aussi ridicule que la

---

1. ***Concupiscence*** : vif désir des biens terrestres qui, sur le plan théologique, correspond à un attrait irrésistible vers le mal.
2. ***Pyrrhoniens*** : voir note 3, p. 10.

raison demande au cœur des preuves de ses premiers principes pour vouloir y consentir qu'il serait ridicule que le cœur demandât à la raison un sentiment de toutes les propositions qu'elle démontre pour vouloir les recevoir.

Cette impuissance ne doit donc servir qu'à humilier la raison, qui voudrait juger de tout, mais non pas à combattre notre certitude. Comme s'il n'y avait que la raison capable de nous instruire. Plût à Dieu que nous n'en eussions au contraire jamais besoin et que nous connussions toutes choses par instinct et par sentiment ! Mais la nature nous a refusé ce bien, elle ne nous a au contraire donné que très peu de connaissances de cette sorte. Toutes les autres ne peuvent être acquises que par raisonnement.

Et c'est pourquoi ceux à qui Dieu a donné la religion par sentiment du cœur sont bien heureux et bien légitimement persuadés. Mais [à] ceux qui ne l'ont pas nous ne pouvons la donner que par raisonnement, en attendant que Dieu la leur donne par sentiment du cœur. Sans quoi la foi n'est qu'humaine et inutile pour le salut.

## 145

Roseau pensant [1].

Ce n'est point de l'espace que je dois chercher ma dignité, mais c'est du règlement de ma pensée. Je n'aurai point d'avantage en possédant des terres. Par l'espace l'univers me comprend et m'engloutit comme un point, par la pensée je le comprends.

## 146

La grandeur de l'homme est grande en ce qu'il se connaît misérable.

Un arbre ne se connaît pas misérable.

C'est donc être misérable que de [se] connaître misérable, mais c'est être grand que de connaître qu'on est misérable.

---

1. Voir aussi fr. 231.

149

La grandeur de l'homme.

La grandeur de l'homme est si visible qu'elle se tire même de sa misère. Car ce qui est nature aux animaux, nous l'appelons misère en l'homme. Par où nous reconnaissons que, sa nature étant aujourd'hui pareille à celle des animaux, il est déchu d'une meilleure nature qui lui était propre autrefois.

Car qui se trouve malheureux de n'être pas roi, sinon un roi dépossédé ? Trouvait-on Paul Émile[1] malheureux, de n'être pas consul[2] ? Au contraire, tout le monde trouvait qu'il était heureux de l'avoir été, parce que sa condition n'était pas de l'être toujours. Mais on trouvait Persée[3] si malheureux de n'être plus roi, parce que sa condition était de l'être toujours, qu'on trouvait étrange de ce qu'il supportait la vie. Qui se trouve malheureux de n'avoir qu'une bouche ? Et qui ne se trouverait malheureux de n'avoir qu'un œil ? On ne s'est peut-être jamais avisé de s'affliger de n'avoir pas trois yeux, mais on est inconsolable de n'en point avoir.

## [VIII] Contrariétés

153

Il est dangereux de trop faire voir à l'homme combien il est égal aux bêtes, sans lui montrer sa grandeur. Et il est encore dangereux de lui trop faire voir sa grandeur sans sa bassesse. Il est encore plus dangereux de lui laisser ignorer l'un et l'autre, mais il est très avantageux de lui représenter l'un et l'autre.

---

1. ***Paul Émile*** (227-160 av. J.-C.) : homme politique romain ; il fut consul en 182 puis de nouveau en 168 ; Plutarque a écrit sa *Vie*.
2. ***De n'être pas consul*** : il faut comprendre « de n'être pas consul à vie, toute sa vie » (voir note précédente).
3. ***Persée*** (v. 212-v. 165 av. J.-C.) : roi de Macédoine ; il fut battu en 168 par Paul Émile à Pydna, ancienne ville de Macédoine.

### 154

Il ne faut pas que l'homme croie qu'il est égal aux bêtes ni aux anges, ni qu'il ignore l'un et l'autre, mais qu'il sache l'un et l'autre.

### 155

APR [1] Grandeur et misère.

La misère se concluant de la grandeur et la grandeur de la misère, les uns ont conclu la misère d'autant plus qu'ils en ont pris pour preuve la grandeur et les autres concluant la grandeur avec d'autant plus de force qu'ils l'ont conclue de la misère même, tout ce que les uns ont pu dire pour montrer la grandeur n'a servi que d'un argument aux autres pour conclure la misère, puisque c'est être d'autant plus misérable qu'on est tombé de plus haut. Et les autres au contraire. Ils se sont portés les uns sur les autres par un cercle sans fin, étant certain qu'à mesure que les hommes ont de lumière ils trouvent et grandeur et misère en l'homme. En un mot l'homme connaît qu'il est misérable. Il est donc misérable, puisqu'il l'est. Mais il est bien grand, puisqu'il le connaît.

### 162

Métier.

Pensées.

Tout est un, tout est divers. Que de natures en celle de l'homme ! Que de vacations [2], et par quel hasard ! Chacun prend d'ordinaire ce qu'il a ouï estimer. Talon bien tourné [3].

---

**1.** Les fr. 155, 182 et 274 sont, selon certains critiques, les notes préparatoires d'un exposé synthétique (d'où la mention « pour demain », au début du fr. 274) que Pascal fit vers juin 1658 à Port-Royal – ce qui expliquerait l'abréviation APR – devant quelques amis. Ces notes auraient ensuite été dispersées dans diverses liasses.

**2.** ***Vacations*** : métiers.

**3.** Voir fr. 69, p. 53.

## 163

S'il se vante, je l'abaisse
S'il s'abaisse, je le vante
Et le contredis toujours
Jusques à ce qu'il comprenne
Qu'il est un monstre incompréhensible.

## 164

[...] Quelle chimère est-ce donc que l'homme, quelle nouveauté[1], quel monstre, quel chaos, quel sujet de contradiction, quel prodige, juge de toutes choses, imbécile[2] ver de terre, dépositaire du vrai, cloaque[3] d'incertitude et d'erreur, gloire et rebut de l'univers !

Qui démêlera cet embrouillement ? [...]

[...] La nature confond[4] les pyrrhoniens et la raison confond les dogmatiques[5]. Que deviendrez-vous donc, ô homme qui cherchez quelle est votre véritable condition par votre raison naturelle[6] ? Vous ne pouvez fuir une de ces sectes ni subsister dans aucune.

Connaissez donc, superbe[7], quel paradoxe vous êtes à vous-même ! Humiliez-vous, raison impuissante ! Taisez-vous, nature imbécile ! Apprenez que l'homme passe[8] infiniment l'homme et entendez[9] de votre Maître votre condition véritable que vous ignorez.

---

**1.** ***Nouveauté*** : chose inouïe.
**2.** ***Imbécile*** : faible.
**3.** ***Cloaque*** : bourbier.
**4.** ***Confond*** : fait taire, discrédite.
**5.** Pascal résume la philosophie antique à deux écoles, deux « sectes » : les dogmatiques (voir note 3, p. 47) et les sceptiques (voir note 3, p. 10). Platon est à part.
**6.** ***Par votre raison naturelle*** : sans l'aide de lumières « surnaturelles », des illuminations que procure la foi.
**7.** ***Superbe*** : orgueilleux.
**8.** ***Passe*** : dépasse.
**9.** ***Entendez*** : apprenez.

Écoutez Dieu.

*(N'est-il pas clair comme le jour que la condition de l'homme est double ? Certainement)* [1]. Car enfin, si l'homme n'avait jamais été corrompu, il jouirait dans son innocence et de la vérité et de la félicité avec assurance. Et si l'homme n'avait jamais été que corrompu, il n'aurait aucune idée ni de la vérité, ni de la béatitude. Mais, malheureux que nous sommes, et plus que s'il n'y avait point de grandeur dans notre condition, nous avons une idée du bonheur et ne pouvons y arriver, nous sentons une image de la vérité et ne possédons que le mensonge, incapables d'ignorer absolument et de savoir certainement, tant il est manifeste que nous avons été dans un degré de perfection dont nous sommes malheureusement déchus [2].

Chose étonnante cependant que le mystère le plus éloigné de notre connaissance, qui est celui de la transmission du péché, soit une chose sans laquelle nous ne pouvons avoir aucune connaissance de nous-mêmes !

Car il est sans doute qu'il n'y a rien qui choque plus notre raison que de dire que le péché du premier homme ait rendu coupables ceux qui, étant si éloignés de cette source, semblent incapables d'y participer. Cet écoulement ne nous paraît pas seulement impossible, il nous semble même très injuste. Car qu'y a-t-il de plus contraire aux règles de notre misérable justice que de damner éternellement un enfant incapable de volonté pour un péché où il paraît avoir si peu de part qu'il est [3] commis six mille ans [4] avant qu'il fût en être [5]. Certainement rien ne nous heurte plus rudement que cette doctrine. Et cependant, sans ce mystère le plus

---

**1.** L'italique et les parenthèses indiquent que le passage a été rayé sur la Copie.

**2.** Le « degré de perfection » est celui d'Adam, avant qu'il ne pèche.

**3.** ***Qu'il est*** : qu'il fut.

**4.** Jusqu'au milieu du XIX^e siècle, on considérait que l'histoire humaine se résumait à quelques millénaires.

**5.** ***Qu'il fût en être*** : qu'il fût en chair et en os.

incompréhensible de tous nous sommes incompréhensibles à nous-mêmes. Le nœud de notre condition prend ses replis et ses tours dans cet abîme. De sorte que l'homme est plus inconcevable sans ce mystère, que ce mystère n'est inconcevable à l'homme. [...]

## [IX] Divertissement

### 165

« Si l'homme était heureux, il le serait d'autant plus qu'il serait moins diverti, comme les saints et Dieu. » – « Oui. Mais n'est-ce pas être heureux que de pouvoir être réjoui par le divertissement ? » – « Non. Car il vient d'ailleurs et de dehors et ainsi il est dépendant et partant sujet à être troublé par mille accidents qui font les afflictions [1] inévitables. »

### 166

Nonobstant [2] ces misères, il veut être heureux, et ne veut être qu'heureux, et ne peut ne vouloir pas l'être. Mais comment s'y prendra-t-il ? Il faudrait, pour bien faire, qu'il se rendît immortel. Mais ne le pouvant, il s'est avisé de s'empêcher d'y penser.

Les hommes n'ayant pu guérir la mort, la misère, l'ignorance, ils se sont avisés, pour se rendre heureux, de n'y point penser [3].

### 167

Je sens que je puis n'avoir point été, car le moi consiste dans ma pensée. Donc moi qui pense n'aurais point été, si ma mère eût été tuée avant que j'eusse été animé. Donc je ne suis pas un être nécessaire. Je ne suis pas aussi éternel ni infini. Mais je vois bien qu'il y a dans la nature un être nécessaire, éternel et infini.

---

**1.** ***Afflictions*** : peines, douleurs.

**2.** ***Nonobstant*** : malgré.

**3.** « Le but de notre carrière, c'est la mort, c'est l'objet nécessaire de notre visée [...]. Le remède du vulgaire, c'est de n'y penser pas » (Montaigne, *Essais*, I, 20).

## 168

Divertissement.

Quand je m'y suis mis quelquefois à considérer les diverses agitations des hommes et les périls et les peines où ils s'exposent dans la Cour, dans la guerre, d'où naissent tant de querelles, de passions, d'entreprises hardies et souvent mauvaises, etc., j'ai dit souvent que tout le malheur des hommes vient d'une seule chose, qui est de ne savoir pas demeurer en repos dans une chambre. Un homme qui a assez de bien pour vivre, s'il savait demeurer chez soi avec plaisir, n'en sortirait pas pour aller sur la mer ou au siège d'une place. On n'achète une charge à l'armée, si chère, que parce qu'on trouverait insupportable de ne bouger de la ville. Et on ne recherche les conversations et les divertissements des jeux que parce qu'on ne peut demeurer chez soi avec plaisir. Etc.

Mais quand j'ai pensé de plus près et qu'après avoir trouvé la cause de tous nos malheurs j'ai voulu en découvrir la raison, j'ai trouvé qu'il y en a une bien effective et qui consiste dans le malheur naturel de notre condition faible et mortelle, et si misérable que rien ne peut nous consoler lorsque nous y pensons de près.

[...] De là vient que les hommes aiment tant le bruit et le remuement. De là vient que la prison est un supplice si horrible. De là vient que le plaisir de la solitude est une chose incompréhensible. Et c'est enfin le plus grand sujet de félicité de la condition des rois de ce qu'on essaie sans cesse à les divertir et à leur procurer toutes sortes de plaisirs. – Le roi est environné de gens qui ne pensent qu'à divertir le roi et à l'empêcher de penser à lui. Car il est malheureux, tout roi qu'il est, s'il y pense.

—

[...] l'homme est si malheureux qu'il s'ennuierait même sans aucune cause d'ennui par l'état propre de sa complexion[1]. [...]

—

1. ***Sa complexion*** : sa nature, ici déchue, corrompue (depuis le péché originel d'Adam).

Tel homme passe sa vie sans ennui en jouant tous les jours peu de chose. Donnez-lui tous les matins l'argent qu'il peut gagner chaque jour, à la charge qu'il ne joue point, vous le rendez malheureux. On dira peut-être que c'est qu'il recherche l'amusement du jeu et non pas le gain. Faites-le donc jouer pour rien, il ne s'y échauffera [1] pas et s'y ennuiera. Ce n'est donc pas l'amusement seul qu'il recherche, un amusement languissant et sans passion l'ennuiera, il faut qu'il s'y échauffe et qu'il se pipe [2] lui-même en s'imaginant qu'il serait heureux de gagner ce qu'il ne voudrait pas qu'on lui donnât à condition de ne point jouer, afin qu'il se forme un sujet de passion et qu'il excite sur cela son désir, sa colère, sa crainte pour l'objet qu'il s'est formé, comme les enfants qui s'effraient du visage qu'ils ont barbouillé [3].

—

D'où vient que cet homme, qui a perdu depuis peu de mois son fils unique et qui accablé de procès et de querelles était ce matin si troublé, n'y pense plus maintenant ? Ne vous en étonnez pas, il est tout occupé à voir par où passera ce sanglier que les chiens poursuivent avec tant d'ardeur depuis six heures. Il n'en faut pas davantage. L'homme, quelque plein de tristesse qu'il soit, si on peut gagner sur lui de le faire entrer en quelque divertissement, le voilà heureux pendant ce temps-là. Et l'homme, quelque heureux qu'il soit, s'il n'est diverti et occupé par quelque passion ou quelque amusement qui empêche l'ennui de se répandre, sera bientôt chagrin et malheureux. Sans divertissement il n'y a point de joie. Avec le divertissement il n'y a point de tristesse. Et c'est aussi ce qui forme le bonheur des personnes de grande condition qu'ils ont un nombre de personnes qui les divertissent, et qu'ils ont le pouvoir de se maintenir en cet état.

---

**1.** ***S'y échauffera*** : s'y impliquera, se prendra au jeu.
**2.** ***Se pipe*** : s'illusionne, se trompe.
**3.** ***Barbouillé*** : dessiné.

[...] Prenez-y garde, qu'est-ce autre chose d'être surintendant, chancelier, premier président[1], sinon d'être en une condition[2] où l'on a le matin un grand nombre de gens qui viennent de tous côtés chez [eux] pour ne leur laisser pas une heure en la journée où ils puissent penser à eux-mêmes ? Et quand ils sont dans la disgrâce et qu'on les renvoie à leurs maisons des champs, où ils ne manquent ni de biens, ni de domestiques pour les assister dans leur besoin[3], ils ne laissent pas[4] d'être misérables[5] et abandonnés, parce que personne ne les empêche de songer à eux.

## 171

### Divertissement.

On charge les hommes, dès l'enfance, du soin de leur honneur, de leur bien, de leurs amis, et encore du bien et de l'honneur de leurs amis. On les accable d'affaires, de l'apprentissage des langues et d'exercices. Et on leur fait entendre qu'ils ne sauraient être heureux sans que leur santé, leur honneur, leur fortune et celles de leurs amis soient en bon état, et qu'une seule chose qui manque les rendra malheureux. Ainsi on leur donne des charges et des affaires qui les font tracasser dès la pointe du jour. Voilà, direz-vous, une étrange manière de les rendre heureux. Que pourrait-on faire de mieux pour les rendre malheureux ? Comment, ce qu'on pourrait faire ? Il ne faudrait que leur ôter tous ces soins, car alors ils se verraient, ils penseraient à ce qu'ils sont, d'où ils viennent, où ils vont. Et ainsi on ne peut trop les

---

1. ***Surintendant, chancelier, premier président*** : titres de hauts fonctionnaires. Sous l'Ancien Régime, un surintendant était chargé de la haute surveillance d'une administration, un chancelier avait la garde et la disposition du sceau de France ; le premier président est le magistrat qui préside un tribunal ou une cour.
2. ***Condition*** : profession.
3. ***Pour les assister dans leur besoin*** : pour les aider quand ils en ont besoin.
4. ***Ils ne laissent pas*** : ils ne cessent.
5. ***Misérables*** : malheureux.

occuper et les détourner, et c'est pourquoi, après leur avoir tant préparé d'affaires, s'ils ont quelque temps de relâche, on leur conseille de l'employer à se divertir et jouer et s'occuper toujours tout entiers.

Que le cœur de l'homme est creux et plein d'ordure.

## [X] Philosophes

175

Philosophes.

Ils croient que Dieu est seul digne d'être aimé et d'être admiré, et ont désiré d'être aimés et admirés des hommes. Et ils ne connaissent pas leur corruption. S'ils se sentent pleins de sentiments pour l'aimer et l'adorer, et qu'ils y trouvent leur joie principale, qu'ils s'estiment bons, à la bonne heure. Mais s'ils s'y trouvent répugnants [1], s'[ils] n'[ont] aucune pente qu'à se vouloir établir dans l'estime des hommes et que pour toute perfection ils fassent seulement que, sans forcer les hommes, ils leur fassent trouver leur bonheur à les aimer, je dirai que cette perfection est horrible. Quoi, ils ont connu Dieu, et n'ont pas désiré uniquement que les hommes l'aimassent, que les hommes s'arrêtassent à eux ! Ils ont voulu être l'objet du bonheur volontaire des hommes.

178

Les trois concupiscences [2] ont fait trois sectes [3], et les philosophes n'ont fait autre chose que suivre une des trois concupiscences.

---

**1.** ***Répugnants*** : mal disposés, hostiles.

**2.** Voir fr. 460.

**3.** Pascal désigne ici les épicuriens (voir note 3, p. 47), qui furent tentés par les voluptés, les physiciens (Thalès, Anaximène...), qui furent tentés par la « curiosité », et les stoïciens (voir note 4, p. 10), qui furent tentés par l'orgueil.

# [XI] Le souverain bien

## 181

Seconde partie[1].

Que l'homme sans la foi
ne peut connaître le vrai bien, ni la justice.

Tous les hommes recherchent d'être heureux. Cela est sans exception, quelques différents moyens qu'ils y emploient. Ils tendent tous à ce but. Ce qui fait que les uns vont à la guerre et que les autres n'y vont pas est ce même désir qui est dans tous les deux, accompagné de différentes vues. La volonté [ne] fait jamais la moindre démarche que vers cet objet. C'est le motif de toutes les actions de tous les hommes. Jusqu'à ceux qui vont se pendre.

Et cependant depuis un si grand nombre d'années jamais personne, sans la foi, n'est arrivé à ce point où tous visent continuellement. Tous se plaignent, princes, sujets, nobles, roturiers, vieux, jeunes, forts, faibles, savants, ignorants, sains, malades, de tous pays, de tous les temps, de tous âges et de toutes conditions.

Une épreuve si longue, si continuelle et si uniforme devrait bien nous convaincre de notre impuissance d'arriver au bien par nos efforts. Mais l'exemple nous instruit peu. Il n'est jamais si parfaitement semblable qu'il n'y ait quelque délicate différence, et c'est de là que nous attendons que notre attente ne sera pas déçue en cette occasion comme en l'autre. Et ainsi, le présent ne nous satisfaisant jamais, l'expérience nous pipe[2], et de malheur en malheur nous conduit jusqu'à la mort qui en est un comble éternel.

Qu'est-ce donc que nous crie cette avidité et cette impuissance, sinon qu'il y a eu autrefois dans l'homme un véritable bonheur,

---

**1.** Voir fr. 40.
**2.** ***Pipe*** : voir note 2, p. 75.

dont il ne lui reste maintenant que la marque et la trace toute vide, et qu'il essaie inutilement de remplir de tout ce qui l'environne, recherchant des choses absentes le secours qu'il n'obtient pas des présentes, mais qui en sont toutes incapables, parce que ce gouffre infini ne peut être rempli que par un objet infini et immuable, c'est-à-dire que par Dieu même.

Lui seul est son véritable bien. Et depuis qu'il l'a quitté, c'est une chose étrange qu'il n'y a rien dans la nature qui n'ait été capable de lui en tenir la place : astres, ciel, terre, éléments, plantes, choux, poireaux, animaux, insectes, veaux, serpents, fièvre, peste, guerre, famine, vices, adultère, inceste. [...]

## [XII] APR[1]

182

APR Commencement.

Après avoir expliqué l'incompréhensibilité.

Les grandeurs et les misères de l'homme sont tellement visibles qu'il faut nécessairement que la véritable religion nous enseigne et qu'il y a quelque grand principe de grandeur en l'homme et qu'il y a un grand principe de misère.

Il faut encore qu'elle nous rende raison de ces étonnantes contrariétés[2].

Il faut que pour rendre l'homme heureux elle lui montre qu'il y a un Dieu, qu'on est obligé de l'aimer, que notre vraie félicité est d'être en lui et notre unique mal d'être séparé de lui, qu'elle reconnaisse que nous sommes pleins de ténèbres qui nous empêchent de le connaître et de l'aimer, et qu'ainsi nos dev[illegible] nous obligeant d'aimer Dieu et nos concupiscences n[illegible]

1. Voir note 1, p. 70.
2. ***Contrariétés*** : voir note 2, p. 47.

détournant, nous sommes pleins d'injustice. Il faut qu'elle nous rende raison de ces oppositions que nous avons à Dieu et à notre propre bien. Il faut qu'elle nous enseigne les remèdes à ces impuissances et les moyens d'obtenir ces remèdes. Qu'on examine sur cela toutes les religions du monde, et qu'on voie s'il y en a une autre que la chrétienne qui y satisfasse !

Sera-ce les philosophes, qui nous proposent pour tout bien les biens qui sont en nous ? Est-ce là le vrai bien ? Ont-ils trouvé le remède à nos maux ? Est-ce avoir guéri la présomption [1] de l'homme que de l'avoir mis à l'égal de Dieu [2] ? Ceux qui nous ont égalés aux bêtes [3] et les mahométans [4], qui nous ont donné les plaisirs de la terre pour tout bien même dans l'éternité, ont-ils apporté le remède à nos concupiscences ?

Quelle religion nous enseignera donc à guérir l'orgueil et la concupiscence ? Quelle religion enfin nous enseignera notre bien, nos devoirs, les faiblesses qui nous en détournent, la cause de ces faiblesses, les remèdes qui les peuvent guérir, et le moyen d'obtenir ces remèdes. Toutes les autres religions ne l'ont pu. Voyons ce que fera la sagesse de Dieu.

« N'attendez point, dit-elle [5], ô hommes, ni vérité ni consolation des hommes. Je suis celle qui vous ai formés et qui peux seule vous apprendre qui vous êtes.

Mais vous n'êtes plus maintenant en l'état où Je vous ai formés. J'ai créé l'homme saint, innocent, parfait. Je l'ai rempli de lumière et d'intelligence. Je lui ai communiqué ma gloire et mes merveilles.

---

1. ***Présomption*** : prétention, outrecuidance.
2. Pascal vise ici la doctrine stoïcienne, et en particulier Sénèque (4 av. J.-C.-65 apr. J.-C.) qui, dans ses *Lettres à Lucilius* (62-65), place le sage au-dessus de Dieu (lettre 35).
3. Il s'agit des sceptiques, des pyrrhoniens.
4. ***Mahométans*** : musulmans.
5. Tout ce discours est une prosopopée. Rappelons qu'il s'agit d'une figure de rhétorique par laquelle on fait parler et agir une abstraction, ici, la « sagesse de Dieu ». L'artifice littéraire consistant à personnifier la Sagesse divine est utilisé plusieurs reprises dans le Livre des Proverbes.

L'œil de l'homme voyait alors la majesté de Dieu. Il n'était pas alors dans les ténèbres qui l'aveuglent, ni dans la mortalité et dans les misères qui l'affligent. Mais il n'a pu soutenir[1] tant de gloire sans tomber dans la présomption, il a voulu se rendre centre de lui-même et indépendant de mon secours. Il s'est soustrait de ma domination et, s'égalant à moi par le désir de trouver sa félicité en lui-même, je l'ai abandonné à lui, et révoltant les créatures qui lui étaient soumises je les lui ai rendues ennemies, en sorte qu'aujourd'hui l'homme est devenu semblable aux bêtes et dans un tel éloignement de moi qu'à peine lui reste-t-il une lumière confuse de son auteur, tant toutes ses connaissances ont été éteintes ou troublées. Les sens indépendants de la raison et souvent maîtres de la raison l'ont emporté à la recherche des plaisirs. Toutes les créatures ou l'affligent ou le tentent, et dominent sur lui ou en le soumettant par leur force ou en le charmant par leur douceur, ce qui est une domination plus terrible et plus injurieuse.

Voilà l'état où les hommes sont aujourd'hui. Il leur reste quelque instinct impuissant du bonheur de leur première nature, et ils sont plongés dans les misères de leur aveuglement et de leur concupiscence qui est devenue leur seconde nature. » [...]

—

Dieu a voulu racheter les hommes et ouvrir le salut à ceux qui le chercheraient. Mais les hommes s'en rendent si indignes qu'il est juste que Dieu refuse à quelques-uns à cause de leur endurcissement ce qu'il accorde aux autres par une miséricorde qui ne leur est pas due.

S'il eût voulu surmonter l'obstination des plus endurcis, il l'eût pu en se découvrant si manifestement à eux qu'ils n'eussent pu douter de la vérité de son essence, comme il paraîtra au dernier jour avec un tel éclat de foudres et un tel renversement de la nat
que les morts ressuscités et les plus aveugles le verront[2].

1. ***Soutenir*** : voir note 5, p. 56.
2. Allusion à l'Apocalypse.

Ce n'est pas en cette sorte qu'il a voulu paraître dans son avènement de douceur, parce que tant d'hommes se rendant indignes de sa clémence il a voulu les laisser dans la privation du bien qu'ils ne veulent pas. Il n'était donc pas juste qu'il parût d'une manière manifestement divine et absolument capable de convaincre tous les hommes. Mais il n'était pas juste aussi qu'il vînt d'une manière si cachée qu'il ne pût être reconnu de ceux qui le chercheraient sincèrement. Il a voulu se rendre parfaitement connaissable à ceux-là. Et ainsi voulant paraître à découvert à ceux qui le cherchent de tout leur cœur, et caché à ceux qui le fuient de tout leur cœur, il a tempéré

[APR pour Demain[1] 2

tempéré sa connaissance[2] en sorte qu'il a donné des marques de soi visibles à ceux qui le cherchent et non à ceux qui ne le cherchent pas.

Il y a assez de lumière pour ceux qui ne désirent que de voir et assez d'obscurité pour ceux qui ont une disposition contraire.]

## [XIII] Commencement

184

Nous sommes plaisants[3] de nous reposer dans la société de nos semblables, misérables comme nous, impuissants comme nous. Ils ne nous aideront pas. On mourra seul.

Il faut donc faire comme si on était seul. Et alors bâtirait-on des maisons superbes, etc. On chercherait la vérité sans hésiter. Et si on le refuse, on témoigne estimer plus l'estime des hommes, que la recherche de la vérité.

1. Ce passage commence au recto d'une deuxième feuille (d'où le 2).
2. ***Sa connaissance*** : la possibilité de le (re)connaître.
***Plaisants*** : voir note 5, p. 59.

## 185

Entre nous et l'enfer ou le ciel il n'y a que la vie entre deux, qui est la chose du monde la plus fragile.

## 190

Par les partis[1] vous devez vous mettre en peine de rechercher la vérité, car si vous mourez sans adorer le vrai principe[2] vous êtes perdu. – « Mais, dites-vous, s'il avait voulu que je l'adorasse il m'aurait laissé des signes de sa volonté. » – Aussi a-t-il fait, mais vous les négligez. Cherchez-les donc, cela le vaut bien.

## 195

Un homme dans un cachot, ne sachant si son arrêt est donné, n'ayant plus qu'une heure pour l'apprendre, cette heure suffisant, s'il sait qu'il est donné, pour le faire révoquer, il est contre nature qu'il emploie cette heure-là non à s'informer si l'arrêt est donné, mais à jouer au piquet[3].

Ainsi il est surnaturel que l'homme, etc. C'est un appesantissement de la main de Dieu[4].

Ainsi non seulement le zèle de ceux qui le cherchent prouve Dieu, mais l'aveuglement de ceux qui ne le cherchent pas.

## 197

Le dernier acte est sanglant, quelque belle que soit la comédie en tout le reste. On jette enfin de la terre sur la tête[5], et en voilà pour jamais.

---

**1.** ***Par les partis*** : par la règle des partis, c'est-à-dire par le calcul des chances, des probabilités de gain ou de perte (voir fr. 680).

**2.** ***Le vrai principe*** : périphrase désignant Dieu.

**3.** ***Piquet*** : jeu de cartes qui se jouait à deux. Chaque joueur devait réunir le plus de cartes de même couleur, et certaines figures.

**4.** ***C'est un appesantissement de la main de Dieu*** : un tel aveuglement ne peut s'expliquer que par le fait que Dieu l'accable volontairement, s'acharne sur lui.

**5.** Lors d'une cérémonie d'enterrement.

198

Nous courons sans souci dans le précipice après que nous avons mis quelque chose devant nous pour nous empêcher de le voir.

## [XIV] Soumission et usage de la raison En quoi consiste le vrai christianisme

200

Je ne serais pas chrétien sans les miracles, dit saint Augustin[1].

204

Si on soumet tout à la raison, notre religion n'aura rien de mystérieux et de surnaturel.

Si on choque les principes de la raison, notre religion sera absurde et ridicule.

205

Saint Augustin. La raison ne se soumettrait jamais si elle ne jugeait qu'il y a des occasions où elle se doit soumettre.

Il est donc juste qu'elle se soumette quand elle juge qu'elle se doit soumettre.

211

Jésus-Christ a fait des miracles et les apôtres ensuite et les premiers saints en grand nombre, parce que les prophéties n'étant pas encore accomplies, et s'accomplissant par eux, rien ne témoignait que les miracles. Il était prédit que le Messie convertirait les nations : comment cette prophétie se fût-elle

1. « Ces mystères, l'esprit humain ne pourrait les accepter, sans la force démonstrative des miracles qui les attestent » (saint Augustin, *La Cité de Dieu*, XXII, 7). Voir aussi fr. 215.

accomplie, sans la conversion des nations ? Et comment les nations se fussent-elles converties au Messie, ne voyant pas ce dernier effet des prophéties qui le prouvent ? Avant donc qu'il ait été mort, ressuscité et converti les nations, tout n'était pas accompli, et ainsi il a fallu des miracles pendant tout ce temps. Maintenant il n'en faut plus contre les Juifs et les impies, car les prophéties accomplies sont un miracle subsistant [1].

214

Deux excès.

Exclure la raison, n'admettre que la raison.

215

On n'aurait point péché en ne croyant pas Jésus-Christ sans les miracles.

220

La dernière démarche de la raison est de reconnaître qu'il y a une infinité de choses qui la surpassent. Elle n'est que faible si elle ne va jusqu'à connaître cela.

—

Que si les choses naturelles la surpassent, que dira-t-on des surnaturelles ?

## [XV] Excellence de cette manière de prouver Dieu

221

Dieu par Jésus-Christ.

---

1. ***Subsistant*** : qui existe encore, après la disparition des autres éléments, dont l'action continue.

Nous ne connaissons Dieu que par Jésus-Christ. Sans ce médiateur[1] est ôtée toute communication avec Dieu, par Jésus-Christ nous connaissons Dieu. Tous ceux qui ont prétendu connaître Dieu et le prouver sans Jésus-Christ n'avaient que des preuves impuissantes. Mais pour prouver Jésus-Christ nous avons les prophéties, qui sont des preuves solides et palpables. Et ces prophéties étant accomplies et prouvées véritables par l'événement marquent la certitude de ces vérités et partant la preuve de la divinité de Jésus-Christ. En lui et par lui nous connaissons donc Dieu. Hors de là et sans l'Écriture, sans le péché originel, sans médiateur nécessaire, promis et arrivé, on ne peut prouver absolument Dieu ni enseigner ni bonne doctrine ni bonne morale. Mais par Jésus-Christ et en Jésus-Christ on prouve Dieu et on enseigne la morale et la doctrine. Jésus-Christ est donc le véritable Dieu des hommes.

Mais nous connaissons en même temps notre misère, car ce Dieu-là n'est autre chose que le réparateur de notre misère. Ainsi nous ne pouvons bien connaître Dieu qu'en connaissant nos iniquités[2]. Aussi ceux qui ont connu Dieu sans connaître leur misère ne l'ont pas glorifié, mais s'en sont glorifiés. *Quia non cognovit per sapientiam, placuit Deo per stultitiam prædicationis salvos facere*[3].

222

Préface[4]. Les preuves de Dieu métaphysiques sont si éloignées du raisonnement des hommes et si impliquées[5], qu'elles frappent peu. Et quand cela

1. ***Médiateur*** : intermédiaire, intercesseur.
2. ***Iniquités*** : péchés.
3. « Dieu voyant que le monde, avec la sagesse humaine, ne l'avait point connu [dans les ouvrages de sa sagesse divine], il lui a plu de sauver par la folie de la prédication [ceux qui croiraient en lui] » (saint Paul, Première Épître aux Corinthiens 1, 21).
4. Cette idée de préface est développée dans le fr. 644.
5. ***Impliquées*** : compliquées.

servirait à quelques-uns, cela ne servirait que pendant l'instant qu'ils voient cette démonstration. Mais une heure après, ils craignent de s'être trompés.

—

*Quod curiositate cognoverunt, superbia amiserunt*[1].

225

La connaissance de Dieu sans celle de sa misère[2] fait l'orgueil.

La connaissance de sa misère sans celle de Dieu fait le désespoir.

La connaissance de Jésus-Christ fait le milieu parce que nous y trouvons, et Dieu, et notre misère.

## [XVI] Transition de la connaissance de l'homme à Dieu

229

H. 5[3].

En voyant l'aveuglement et la misère de l'homme, en regardant tout l'univers muet et l'homme sans lumière abandonné à lui-même et comme égaré dans ce recoin de l'univers sans savoir qui l'y a mis, ce qu'il y est venu faire, ce qu'il deviendra en mourant, incapable de toute connaissance, j'entre en effroi comme un homme qu'on aurait emporté endormi dans une île déserte et effroyable et qui s'éveillerait sans connaître et sans

**1.** « Leur orgueil leur a fait perdre ce que leur curiosité avait trouvé » (saint Augustin, *Sermon*, 141, 1-2).

**2.** ***Sa misère*** : sa propre misère.

**3.** Pascal réutilise des morceaux d'un texte consacré à l'Homme écrit antérieurement (voir aussi fr. 230 et 231).

moyen d'en sortir. Et sur cela j'admire comment[1] on n'entre point en désespoir d'un si misérable état. [...]

## 230

H[2] Disproportion de l'homme.

[...] Que l'homme contemple donc la nature entière dans sa haute et pleine majesté, qu'il éloigne sa vue des objets bas qui l'environnent, qu'il regarde cette éclatante lumière mise comme une lampe éternelle pour éclairer l'univers, que la terre lui paraisse comme un point au prix du vaste tour que cet astre décrit, et qu'il s'étonne de ce que ce vaste tour lui-même n'est qu'une pointe très délicate à l'égard de celui que ces astres qui roulent dans le firmament[3] embrassent. Mais si notre vue s'arrête là, que l'imagination passe outre. Elle se lassera plus tôt de concevoir que la nature de fournir. Tout ce monde visible n'est qu'un trait imperceptible dans l'ample sein de la nature, nulle idée n'en approche. Nous avons beau enfler nos conceptions au-delà des espaces imaginables, nous n'enfantons que des atomes au prix de la réalité des choses. C'est une sphère infinie dont le centre est partout, la circonférence nulle part. Enfin c'est le plus grand [des] caractères sensibles de la toute-puissance de Dieu que notre imagination se perde dans cette pensée.

Que l'homme étant revenu à soi considère ce qu'il est au prix de ce qui est, qu'il se regarde comme égaré dans ce canton détourné[4] de la nature, et que de ce petit cachot où il se trouve logé, j'entends l'univers, il apprenne à estimer la terre, les royaumes, les villes et soi-même, son juste prix.

Qu'est-ce qu'un homme, dans l'infini ?

---

1. ***J'admire comment*** : je m'étonne du fait que.
2. Voir note 3, p. 87.
3. ***Firmament*** : voûte céleste.
4. ***Canton détourné*** : coin perdu.

Mais pour lui présenter un autre prodige aussi étonnant, qu'il recherche dans ce qu'il connaît les choses les plus délicates, qu'un ciron [1] lui offre dans la petitesse de son corps des parties incomparablement plus petites, des jambes avec des jointures, des veines dans ses jambes, du sang dans ses veines, des humeurs [2] dans ce sang, des gouttes dans ses humeurs, des vapeurs dans ces gouttes, que divisant encore ces dernières choses il épuise ses forces en ces conceptions, et que le dernier objet où il peut arriver soit maintenant celui de notre discours. Il pensera peut-être que c'est là l'extrême petitesse de la nature.

Je veux lui faire voir là-dedans un abîme nouveau, je lui veux peindre non seulement l'univers visible, mais l'immensité qu'on peut concevoir de la nature dans l'enceinte de ce raccourci d'atome. Qu'il y voie une infinité d'univers, dont chacun a son firmament, ses planètes, sa terre, en la même proportion que le monde visible, dans cette terre des animaux, et enfin des cirons, dans lesquels il retrouve ce que les premiers ont donné, et trouvant encore dans les autres la même chose sans fin et sans repos, qu'il se perde dans ces merveilles aussi étonnantes dans leur petitesse, que les autres par leur étendue ! Car qui n'admirera [3] que notre corps, qui tantôt n'était pas perceptible dans l'univers imperceptible lui-même dans le sein du tout, soit à présent un colosse, un monde ou plutôt un tout à l'égard du néant où l'on ne peut arriver ?

Qui se considérera de la sorte s'effraiera de soi-même et se considérant soutenu dans la masse [4] que la nature lui a donnée entre ces deux abîmes de l'infini et du néant, il tremblera dans la vue de ses merveilles, et je crois que sa curiosité se changeant en admiration, il sera plus disposé à les contempler en silence qu'à les rechercher avec présomption. Car enfin qu'est-ce que l'homme

---

1. ***Ciron*** : minuscule arachnide.
2. ***Humeurs*** : substances fluides.
3. ***Qui n'admirera ?*** : qui ne s'étonnera ?
4. ***Masse*** : matière.

dans la nature ? Un néant à l'égard de l'infini, un tout à l'égard du néant, un milieu entre rien et tout, infiniment éloigné de comprendre les extrêmes, la fin des choses et leur principe sont pour lui invinciblement cachés dans un secret impénétrable (*que pourra-t-il donc concevoir ? il est*) [1], également incapable de voir le néant d'où il est tiré et l'infini, où il est englouti. [...]

231

H. 3 [2].

L'homme n'est qu'un roseau, le plus faible de la nature, mais c'est un roseau pensant. Il ne faut pas que l'univers entier s'arme pour l'écraser, une vapeur, une goutte d'eau suffit pour le tuer. Mais quand [3] l'univers l'écraserait, l'homme serait encore plus noble que ce qui le tue, puisqu'il sait qu'il meurt et l'avantage que l'univers a sur lui. L'univers n'en sait rien.

232

Toute notre dignité consiste donc en la pensée. C'est de là [4] qu'il faut nous relever, et non de l'espace et de la durée, que nous ne saurions remplir.

Travaillons donc à bien penser. Voilà le principe de la morale.

233 

Le silence éternel de ces espaces infinis m'effraie.

1. L'italique et les parenthèses indiquent que le passage a été rayé sur la Copie.
2. Voir note 3, p. 87.
3. ***Quand*** : quand bien même, même si.
4. ***De là*** : à partir de là.

## [XVII] La nature est corrompue et Fausseté des autres religions

### 235

Fausseté des autres religions.

Mahomet sans autorité.

Il faudrait donc que ses raisons fussent bien puissantes, n'ayant que leur propre force.

Que dit-il donc ? Qu'il faut le croire.

### 236

Fausseté des autres religions.

Ils n'ont point de témoins. Ceux-ci en ont.

Dieu défie les autres religions de produire de telles marques, Isaïe, 43, 9-44, 8[1].

### 241

Différence entre Jésus-Christ et Mahomet.

Mahomet non prédit. Jésus-Christ prédit.

Mahomet en tuant[2]. Jésus-Christ en faisant tuer les siens[3].

Mahomet en défendant de lire[4], les apôtres en ordonnant de lire[5].

---

**1.** « Que les nations s'assemblent toutes […], qu'elles produisent leurs témoins pour leur justification » (Livre d'Isaïe 43, 9 ; traduction de Pascal). « Je suis le Premier et le dernier, dit le seigneur. Qui s'égalera à moi ? […] Ne craignez rien. […] Vous êtes mes témoins » (Livre d'Isaïe 44, 6-8 ; traduction de Pascal).

**2.** Allusion à l'institution par Mahomet de la guerre sainte (*djihad*).

**3.** Allusion au sacrifice des martyrs chrétiens.

**4.** Souvenir de lecture d'un ouvrage apologétique de l'humaniste protestant hollandais Grotius (1583-1645), intitulé *De la vérité de la religion* (VI, 2) : « La lecture de ses livres [ceux de Mahomet] est interdite au peuple. »

**5.** Par exemple, saint Paul : « En attendant que je vienne, consacre-toi à la lecture » (Première Épître à Timothée 4, 13).

243

Tous les hommes se haïssent naturellement l'un l'autre. On s'est servi comme on a pu de la concupiscence pour la faire servir au bien public. Mais ce n'est que feindre et une fausse image de la charité. Car au fond ce n'est que haine.

244

On a fondé et tiré de la concupiscence des règles admirables de police[1], de morale et de justice.

Mais dans le fond, ce vilain fond de l'homme, ce FIGMENTUM MALUM[2] n'est que couvert, il n'est pas ôté.

252

Les autres religions, comme les païennes, sont plus populaires, car elles sont en extérieur, mais elles ne sont pas pour les gens habiles[3]. Une religion purement intellectuelle serait plus proportionnée aux habiles, mais elle ne servirait pas au peuple. La seule religion chrétienne est proportionnée à tous, étant mêlée d'extérieur et d'intérieur[4]. Elle élève le peuple à l'intérieur, et abaisse les superbes[5] à l'extérieur, et n'est pas parfaite sans les deux, car il faut que le peuple entende l'esprit de la lettre et que les habiles soumettent leur esprit à la lettre.

---

1. ***Police*** : gouvernement, organisation politique.
2. ***Figmentum malum*** : composition mauvaise (« La *composition* du cœur de l'homme est *mauvaise* dès son enfance », Genèse 8, 21 ; traduction de Pascal, voir fr. 309).
3. ***Habiles*** : qui ont de l'esprit, de l'adresse, de la science, de la capacité (Dictionnaire Furetière).
4. ***D'extérieur et d'intérieur*** : de pratiques rituelles (s'agenouiller, prier, etc.) et de pure spiritualité.
5. ***Superbes*** : voir note 7, p. 71.

## [XVIII] Rendre la religion aimable

255

Les Juifs charnels[1] et les païens ont des misères et les chrétiens aussi. Il n'y a point de rédempteur[2] pour les païens, car ils n'en espèrent pas seulement[3]. Il n'y a point de rédempteur pour les Juifs, ils l'espèrent en vain. Il n'y a de rédempteur que pour les chrétiens.

Voyez « Perpétuité[4] ».

## [XIX] Fondements de la religion et Réponse aux objections

264

On n'entend rien aux ouvrages de Dieu si on ne prend pour principe qu'il a voulu aveugler les uns et éclaircir[5] les autres.

268

Aveugler, éclaircir.

Saint Augustin, Montaigne, Sebonde[6].

---

1. ***Charnels*** : matérialistes (voir fr. 318).
2. ***Rédempteur*** : sauveur de l'humanité (le Messie incarné en Jésus-Christ pour les chrétiens).
3. ***Il n'en espèrent pas seulement*** : ils n'en espèrent même pas.
4. Renvoi à la liasse XXII, p. 101–102.
5. ***Éclaircir*** : éclairer.
6. Raymond Sebonde, ou Sebond (mort en 1436), est l'auteur d'une *Théologie naturelle ou Livre des créatures* (*Theologia naturalis sive Liber creaturarum*), qui prétend prouver les vérités de la foi rationnellement à partir des thèses soutenues par les incroyants. Montaigne entreprend la traduction .../...

Il y a assez de clarté pour éclairer les élus et assez d'obscurité pour les humilier. Il y a assez d'obscurité pour aveugler les réprouvés et assez de clarté pour les condamner et les rendre inexcusables.

—

La généalogie de Jésus-Christ dans l'Ancien Testament est mêlée parmi tant d'autres inutiles, qu'elle ne peut être discernée. Si Moïse n'eût tenu registre que des ancêtres de Jésus-Christ, cela eût été trop visible [1]. S'il n'eût pas marqué celle de Jésus-Christ, cela n'eût pas été assez visible. Mais après tout, qui y regarde de près voit celle de Jésus-Christ bien discernée par Thamar, Ruth [2], etc.

—

Ceux qui ordonnaient ces sacrifices en savaient l'inutilité et ceux qui en ont déclaré l'inutilité n'ont pas laissé de [3] les pratiquer.

—

Si Dieu n'eût permis qu'une seule religion, elle eût été trop reconnaissable. Mais qu'on y regarde de près, on discerne bien la vraie dans cette confusion.

—

Principe : Moïse était habile homme. Si donc il se gouvernait par son esprit, il ne devait rien mettre [4] qui fût directement contre l'esprit.

---

.../... de l'ouvrage en 1569 et intitule le chapitre XII du livre II des *Essais* : « Apologie de Raimond Sebond ».

**1.** Jusqu'au XIXe siècle on a cru que Moïse était l'unique auteur des textes du Pentateuque.

**2.** Il n'y a pas de généalogie évidente de Jésus-Christ dans l'Ancien Testament. Y sont citées deux femmes, Thamar et Ruth (la première dans Genèse 38 ; la seconde dans le Livre de Ruth), qui apparaissent parmi les ancêtres de Jésus dans le Nouveau Testament (Évangile de Matthieu 1, 11-16).

**3.** ***N'ont pas laissé de*** : voir note 4, p. 76.

**4.** ***Mettre*** : écrire.

Ainsi toutes les faiblesses très apparentes sont des forces. Par exemple, les deux généalogies de saint Matthieu et saint Luc[1]. Qu'y a-t-il de plus clair que cela n'a pas été fait de concert[2] ?

## 274

APR[3] pour Demain.

Voulant paraître à découvert à ceux qui le cherchent de tout leur cœur, et caché à ceux qui le fuient de tout leur cœur, Dieu a tempéré sa connaissance[4] en sorte qu'il a donné des marques de soi visibles à ceux qui le cherchent et non à ceux qui ne le cherchent pas.

Il y a assez de lumière pour ceux qui ne désirent que de voir, et assez d'obscurité pour ceux qui ont une disposition[5] contraire.

## 275

Que Dieu s'est voulu cacher.

S'il n'y avait qu'une religion, Dieu y serait bien manifeste[6].

S'il n'y avait des martyrs qu'en notre religion, de même.

—

Dieu étant ainsi caché, toute religion qui ne dit pas que Dieu est caché n'est pas véritable. Et toute religion qui n'en rend pas la raison n'est pas instruisante. La nôtre fait tout cela. VERE TU ES DEUS ABSCONDITUS[7].

---

**1.** Évangile de Matthieu (1, 11-16) et Évangile de Luc (3, 23-28).
**2.** ***De concert*** : ensemble.
**3.** Voir note 1, p. 70.
**4.** ***Sa connaissance*** : voir note 2, p. 82.
**5.** ***Disposition*** : intention.
**6.** ***Manifeste*** : visible, évident (du latin *manifestus*, « pris sur le fait »).
**7.** « En vérité, tu es un Dieu caché » (Livre d'Isaïe 45, 15).

277

Objection des athées.

« Mais nous n'avons nulle lumière. »

## [XX] Que la loi était figurative

284

Deux erreurs : 1. Prendre tout littéralement. 2. Prendre tout spirituellement.

288

Les Juifs charnels[1] n'entendaient[2] ni la grandeur ni l'abaissement du Messie prédit dans leurs prophéties. Ils l'ont méconnu dans sa grandeur prédite, comme quand il dit que le Messie sera seigneur de David, quoique son fils[3], et qu'il est devant qu'Abraham [fût] et qu'il l'a vu[4]. Ils ne le croyaient pas si grand qu'il fût éternel, et ils l'ont méconnu de même dans son abaissement et dans sa mort. Le Messie, disaient-ils, demeure éternellement, et celui-ci dit qu'il mourra[5]. Ils ne le croyaient donc ni mortel ni éternel, ils ne cherchaient en lui qu'une grandeur charnelle.

289

Contradiction.

On ne peut faire une bonne physionomie[6] qu'en accordant toutes nos contrariétés[7], et il ne suffit pas de suivre une suite de

---

**1.** ***Charnels*** : voir note 1, p. 93.
**2.** ***N'entendaient*** : voir note 2, p. 54.
**3.** Évangile de Matthieu (22, 41-45).
**4.** Évangile de Jean (8, 56-58).
**5.** Évangile de Jean (12, 34).
**6.** ***Physionomie*** : visage.
**7.** ***Nos contrariétés*** : nos traits contradictoires.

qualités accordantes sans accorder les contraires. Pour entendre[1] le sens d'un auteur, il faut accorder tous les passages contraires.

Ainsi pour entendre l'Écriture, il faut avoir un sens dans lequel tous les passages contraires s'accordent. Il ne suffit pas d'en avoir un qui convienne à plusieurs passages accordants, mais d'en avoir un qui accorde les passages même contraires.

Tout auteur a un sens auquel tous les passages contraires s'accordent ou il n'a point de sens du tout. On ne peut pas dire cela de l'Écriture et des prophètes[2], ils avaient assurément trop bon sens. Il faut donc en chercher un qui accorde toutes les contrariétés.

Le véritable sens n'est donc pas celui des Juifs, mais en Jésus-Christ toutes les contradictions sont accordées.

Les Juifs ne sauraient accorder la cessation de la royauté et principauté prédite par Osée avec la prophétie de Jacob[3].

Si on prend la Loi[4], les sacrifices et le royaume pour réalités, on ne peut accorder tous les passages. Il faut donc par nécessité qu'ils ne soient que figures. On ne saurait pas même accorder les passages d'un même auteur ni d'un même livre ni quelquefois d'un même chapitre, ce qui marque trop quel était le sens de l'auteur. Comme quand Ézéchiel, chapitre 20, dit qu'on vivra dans les commandements de Dieu et qu'on n'y vivra pas[5].

294

Contrariétés.

Le sceptre jusqu'au Messie. *Sans roi ni prince*[6].

---

**1.** ***Entendre*** : voir note 2, p. 54.

**2.** Il faut comprendre : on ne peut pas dire de l'Écriture et des prophètes qu'ils n'ont pas de sens du tout.

**3.** Voir fr. 294 et note 5 ci-dessous.

**4.** *Ibid.*

**5.** Livre d'Ézéchiel 20, 11-12, et 20, 24-25.

**6.** Le patriarche biblique Jacob, père de douze fils, souches des douze tribus d'Israël, au moment de mourir, prédit à son fils Juda que « le Messie [...] naîtrait de lui, et que la royauté ne serait point ôtée de Juda » (Genèse 49, .../...

Loi éternelle, changée[1].

Alliance éternelle, alliance nouvelle[2].

Loi bonne, *préceptes mauvais*. Ézéchiel, 20[3].

## 296

Figure porte absence et présence, plaisir et déplaisir.

—

Chiffre[4] a double sens. Un clair et où il est dit que le sens est caché.

## 305

Preuve des deux Testaments à la fois.

Pour prouver tout d'un coup les deux il ne faut que voir si les prophéties de l'un sont accomplies en l'autre.

Pour examiner les prophéties il faut les entendre.

Car si on croit qu'elles n'ont qu'un sens, il est sûr que le Messie ne sera point venu. Mais si elles ont deux sens, il est sûr qu'il sera venu en Jésus-Christ.

Toute la question est donc de savoir si elles ont deux sens.

Que l'Écriture a deux sens,
que Jésus-Christ et les apôtres ont donnés
dont voici les preuves.

1. Preuve par l'Écriture même.

---

.../... traduction de Pascal). Et pourtant, Osée, prophète d'Israël, prédit que Dieu « mettr[a] fin à la royauté de la maison d'Israël » (Livre d'Osée 1, 4).

**1.** Dieu dicte à Moïse une « loi perpétuelle pour les Israélites » (Lévitique 7, 34). Et pourtant, les prophètes annoncent que tout sera changé : « On ne se souviendra plus du passé » (Livre d'Isaïe 65, 17).

**2.** Dieu a conclu avec Abraham une alliance éternelle (Genèse 17, 7-9). Et pourtant, le prophète juif Jérémie annonce une alliance nouvelle (Livre de Jérémie 31, 31).

**3.** Le Deutéronome célèbre et complète la Loi divine. Et pourtant, on peut lire dans le Livre d'Ézéchiel (20, 25) : « Et j'allais jusqu'à leur donner des lois qui n'étaient pas bonnes [des préceptes imparfaits]. »

**4.** ***Chiffre*** : écriture secrète.

2. Preuves par les rabbins [1]. Moïse Maïmon [2] dit qu'elle a deux faces, prou[vées]. Et que les prophètes n'ont prophétisé que de Jésus-Christ.

3. Preuves par la Kabbale [3].

4. Preuves par l'interprétation mystique que les rabbins mêmes donnent à l'Écriture.

5. Preuves par les principes des rabbins qu'il y a deux sens. Qu'il y a deux avènements du Messie glorieux ou abject selon leur mérite.

Que les prophètes n'ont prophétisé que du Messie.

[Que] la Loi n'est pas éternelle mais doit changer au Messie.

Qu'alors on ne se souviendra plus de la mer Rouge.

Que les Juifs et les gentils seront mêlés.

307

[...] Le Vieux Testament [4] est un chiffre [5].

## [XXI] Rabbinage

309 [6]

Du péché originel.

Tradition ample du péché originel selon les Juifs.

---

1. ***Rabbins*** : docteurs de la Loi juive chargés de l'enseigner et de la faire appliquer.
2. ***Rabbi Moïse ben Maimon*** [Maïmonide] (1135-1204) : philosophe, savant, médecin et l'un des grands penseurs du judaïsme ; il est l'auteur du *Guide des égarés* (ou *des perplexes*), qui mêle philosophie et exégèse biblique.
3. ***Kabbale*** : tradition juive donnant une interprétation mystique et allégorique de l'Ancien Testament.
4. ***Vieux Testament*** : Ancien Testament.
5. L'Ancien Testament possède un double sens : un sens évident (littéral, prosaïque, référentiel) et un sens caché (spirituel, figuré, symbolique) ; voir fr. 296.
6. Suite de notes de lecture se rapportant à un traité apologétique du dominicain Raymond Martin (XIIIe siècle) intitulé *Le Poignard de la foi* (*Pugio fidei*). Pascal a lu quantité d'apologies.

Sur le mot de la Genèse 8 *la composition du cœur de l'homme est mauvaise dès son enfance*[1].

R. Moïse Haddarschan[2] : ce mauvais levain est mis dans l'homme dès l'heure où il est formé.

*Massechet Succa* : ce mauvais levain a sept noms dans l'Écriture. Il est appelé mal, prépuce, immonde, ennemi, scandale, cœur de pierre, aquilon[3] : tout cela signifie la malignité qui est cachée et empreinte dans le cœur de l'homme. *Midrasch Tillim* dit la même chose, et que Dieu délivrera la bonne nature de l'homme de la mauvaise.

Cette malignité se renouvelle tous les jours contre l'homme, comme il est écrit Psaume 137 : *L'impie observe le juste et cherche à le faire mourir, mais Dieu ne l'abandonnera point*[4].

Cette malignité tente le cœur de l'homme en cette vie et l'accusera en l'autre.

Tout cela se trouve dans le Talmud[5].

*Midrasch Tillim* sur le Psaume 4 : *Frémissez et vous ne pécherez point.* Frémissez et épouvantez votre concupiscence et elle ne vous induira point à pécher. Et sur le Psaume 36 : *L'impie a dit en son cœur : que la crainte de Dieu ne soit point devant moi.* C'est-à-dire que la malignité naturelle à l'homme a dit cela à l'impie.

*Midrasch Kohelet* : *Meilleur est l'enfant pauvre et sage que le roi vieux et fol qui ne sait pas prévoir l'avenir.* L'enfant est la vertu, et le roi est la malignité de l'homme. Elle est appelée roi parce que tous les membres lui obéissent, et vieux parce qu'il est dans le cœur de l'homme depuis l'enfance jusqu'à la vieillesse, et

---

**1.** Genèse 8, 21.

**2.** ***Moïse Haddarschan*** : nom d'un rabbin, mentionné par Raymond Martin ; plus bas, sont également cités trois autres docteurs de la Loi juive : Massechet Succa, Midrasch Tillim et Midrasch Kohelet.

**3.** ***Aquilon*** : vent du nord, froid et violent.

**4.** Il s'agit du Psaume 37, 32-33.

**5.** ***Talmud*** : recueil sacré des commentaires de la Torah par des grands rabbins.

fol parce qu'il conduit l'homme dans la voie de [per]dition qu'il ne prévoit point.

La même chose est dans *Midrasch Tillim*. [...]

310

Principes des rabbins. Deux Messies [1].

## [XXII] Perpétuité

313

Cette religion qui consiste à croire que l'homme est déchu d'un état de gloire et de communication avec Dieu en un état de tristesse, de pénitence et d'éloignement de Dieu, mais qu'après cette vie on serait rétabli par un Messie qui devait venir, a toujours été sur la terre.

[...] Et ce qui est admirable, incomparable et tout à fait divin, c'est que cette religion qui a toujours duré a toujours été combattue. [...]

318

2 sortes d'hommes en chaque religion.

Parmi les païens, des adorateurs de bêtes, et les autres adorateurs d'un seul dieu dans la religion naturelle [2].

Parmi les Juifs, les charnels [3] et les spirituels, qui étaient les chrétiens de la Loi ancienne [4].

Parmi les chrétiens, les grossiers, qui sont les Juifs de la Loi nouvelle [5].

---

**1.** Voir fr. 318.

**2.** ***Religion naturelle*** : religion primitive, spontanée, des païens.

**3.** ***Charnels*** : voir note 1, p. 93 ; les « Juifs charnels ».

**4.** ***De la Loi ancienne*** : de l'ancienne alliance, de l'Ancien Testament.

**5.** ***De la Loi nouvelle*** : de la nouvelle alliance, du Nouveau Testament.

Les Juifs charnels attendaient un Messie charnel et les chrétiens grossiers croient que le Messie les a dispensés d'aimer Dieu. Les vrais Juifs et les vrais chrétiens adorent un Messie qui leur fait aimer Dieu.

319

[...] Le Messie, selon les Juifs charnels, doit être un grand prince temporel. Jésus-Christ, selon les chrétiens charnels, est venu nous dispenser d'aimer Dieu, et nous donner des sacrements qui opèrent tout sans nous. Ni l'un ni l'autre n'est la religion chrétienne, ni juive.

Les vrais Juifs et les vrais chrétiens ont toujours attendu un Messie qui les ferait aimer Dieu et par cet amour triompher de leurs ennemis.

## [XXIII] Preuves de Moïse

324

Preuves de Moïse.

Pourquoi Moïse va t-il faire la vie des hommes si longue et si peu de générations [1] ?

Car ce n'est pas la longueur des années, mais la multitude des générations qui rendent les choses obscures.

Car la vérité ne s'altère que par le changement des hommes.

Et cependant [2] il met deux choses les plus mémorables qui se soient jamais imaginées, savoir la Création et le Déluge, si proches qu'on y touche. [...]

---

**1.** Voir note 1, p. 94. Par exemple, Mathusalem, patriarche biblique, symbole de longévité, aurait vécu 969 ans (Genèse 5, 25-27).

**2.** ***Cependant*** : ce faisant.

327

Sem, qui a vu Lamech [1], qui a vu Adam, a vu aussi Jacob, qui a vu ceux qui ont vu Moïse. Donc le Déluge et la Création sont vrais. [...]

## [XXIV] Preuves de Jésus-Christ

329

L'ordre – Contre l'objection que l'Écriture n'a pas d'ordre.

Le cœur a son ordre, l'esprit a le sien, qui est par principe et démonstration. Le cœur en a un autre. On ne prouve pas qu'on doit être aimé en exposant d'ordre les causes de l'amour, cela serait ridicule.

—

Jésus-Christ, saint Paul ont l'ordre de la charité, non de l'esprit, car ils voulaient échauffer, non instruire.

Saint Augustin de même. Cet ordre consiste principalement à la digression sur chaque point qui a rapport à la fin, pour la montrer toujours.

331

Jésus-Christ dans une obscurité [2] (selon ce que le monde appelle obscurité) telle que les historiens n'écrivant que les importantes choses des États l'ont à peine aperçu.

339

La distance infinie des corps aux esprits, figure [3] la distance infiniment plus infinie des esprits à la charité [4], car elle est surnaturelle.

—

1. ***Sem*, *Lamech*** : personnages bibliques (Genèse 5-10 et 4, 19).
2. ***Obscurité*** : anonymat, médiocrité, absence d'éclat, de lustre.
3. ***Figure*** : symbolise.
4. ***Charité*** : vertu théologale qui consiste en l'amour de Dieu et du prochain en vue de Dieu.

Tout l'éclat des grandeurs [1] n'a point de lustre pour les gens qui sont dans les recherches de l'esprit.

—

La grandeur [2] des gens d'esprit est invisible aux rois, aux riches, aux capitaines, à tous ces grands de chair.

—

La grandeur de la sagesse, qui n'est nulle sinon de Dieu [3], est invisible aux charnels et aux gens d'esprit. Ce sont trois ordres différents. De genre.

—

Les grands génies ont leur empire [4], leur éclat, leur grandeur, leur victoire et leur lustre, et n'ont nul besoin des grandeurs charnelles, où elles n'ont pas de rapport. Ils sont vus non des yeux mais des esprits, c'est assez.

—

Les saints ont leur empire, leur éclat, leur victoire, leur lustre, et n'ont nul besoin des grandeurs charnelles ou spirituelles, où elles n'ont nul rapport car elles n'y ajoutent ni ôtent. Ils sont vus de Dieu et des anges, et non des corps ni des esprits curieux [5]. Dieu leur suffit.

—

Archimède sans éclat [6] serait en même vénération. Il n'a pas donné des batailles, pour les yeux, mais il a fourni à tous les esprits ses inventions. Ô qu'il a éclaté aux esprits !

—

1. ***Grandeurs*** : ici, des grandeurs matérielles.
2. ***Grandeur*** : ici, le génie.
3. ***Qui n'est nulle sinon de Dieu*** : qui n'est rien, si elle n'est selon Dieu ; la pseudo-sagesse des philosophes est ici méprisée.
4. ***Empire*** : domination (voir fr. 92).
5. ***Esprits curieux*** : esprits scientifiques.
6. ***Sans éclat*** : même s'il avait été d'humble naissance. On pense qu'Archimède (287-212 av. J.-C.) était un parent du roi Hiéron (v. 306-215 av. J.-C.).

Jésus-Christ sans biens, et sans aucune production au-dehors de science, est dans son ordre de sainteté. Il n'a point donné d'inventions, il n'a point régné, mais il a été humble, patient, saint, saint, saint à Dieu, terrible aux démons, sans aucun péché. Ô qu'il est venu en grande pompe [1] et en une prodigieuse magnificence aux yeux du cœur et qui voient la sagesse !

—

Il eût été inutile à Archimède de faire le prince dans ses livres de géométrie, quoiqu'il le fût.

—

Il eût été inutile à Notre Seigneur Jésus-Christ, pour éclater dans son règne de sainteté, de venir en roi. Mais il y est bien venu avec l'éclat de son ordre [2].

—

Il est bien ridicule de se scandaliser de la bassesse de Jésus-Christ, comme si cette bassesse était du même ordre duquel est la grandeur qu'il venait faire paraître.

Qu'on considère cette grandeur-là dans sa vie, dans sa passion, dans son obscurité [3], dans sa mort, dans l'élection des siens [4], dans leur abandonnement [5], dans sa secrète [6] résurrection et dans le reste. On la verra si grande qu'on n'aura pas sujet de se scandaliser d'une bassesse qui n'y est pas.

—

Mais il y en a qui ne peuvent admirer que les grandeurs charnelles, comme s'il n'y en avait pas de spirituelles. Et d'autres

---

1. ***En grande pompe*** : de façon splendide.
2. ***Avec l'éclat de son ordre*** : avec la grandeur correspondant à son ordre.
3. ***Dans son obscurité*** : dans l'obscurité de sa naissance et de la plus grande partie de sa vie.
4. ***L'élection des siens*** : le choix de ses disciples (pauvres et ignorants).
5. ***Abandonnement*** : défection.
6. ***Secrète*** : passée inaperçue (voir fr. 331).

qui n'admirent que les spirituelles, comme s'il n'y en avait pas d'infiniment plus hautes dans la sagesse.

—

Tous les corps, le firmament, les étoiles, la terre et ses royaumes, ne valent pas le moindre des esprits. Car il connaît tout cela, et soi, et les corps rien [1].

—

Tous les corps ensemble et tous les esprits ensemble et toutes leurs productions ne valent pas le moindre mouvement de charité. Cela est d'un ordre infiniment plus élevé.

—

De tous les corps ensemble on ne saurait en faire réussir [2] une petite pensée, cela est impossible et d'un autre ordre. De tous les corps et esprits on n'en saurait tirer un mouvement de vraie charité, cela est impossible et d'un autre ordre, surnaturel.

### 340

Preuves de Jésus-Christ.

Jésus-Christ a dit les choses grandes si simplement qu'il semble qu'il ne les a pas pensées, et si nettement néanmoins qu'on voit bien ce qu'il en pensait. Cette clarté jointe à cette naïveté [3] est admirable.

---

**1.** Voir fr. 145 et 231.
**2.** ***Réussir*** : sortir.
**3.** ***Cette naïveté*** : ce naturel.

# [XXV] Prophéties

## 364

Prophéties.

Quand un seul homme aurait fait un livre des prédictions de Jésus-Christ pour le temps et pour la manière et que Jésus-Christ serait venu conformément à ces prophéties, ce serait une force infinie.

Mais il y a bien plus ici. C'est une suite d'hommes durant quatre mille ans qui constamment et sans variations viennent l'un ensuite de l'autre prédire ce même avènement[1]. C'est un peuple tout entier qui l'annonce et qui subsiste depuis quatre mille années pour rendre en corps témoignage des assurances qu'ils en ont et dont ils ne peuvent être divertis par quelques menaces et persécutions qu'on leur fasse. Ceci est tout autrement considérable.

## 368

La plus grande des preuves de Jésus-Christ sont les prophéties. [...].

## 378

Prédictions

Il est prédit qu'au temps du Messie il viendrait établir une nouvelle alliance[2] qui ferait oublier la sortie d'Égypte – Jérémie 23, 5, Isaïe 43, 16 – qui mettrait sa loi non dans l'extérieur mais dans le cœur ; qu'il mettrait sa crainte, qui n'avait été qu'au-dehors, dans le milieu du cœur. Qui ne voit la loi chrétienne en tout cela ?

---

1. ***Avènement*** : arrivée.
2. Voir fr. 294.

# [XXVI] Figures particulières

381

Figures particulières.

Double loi[1], doubles Tables de la Loi, double temple[2], double captivité.

# [XXVII] Morale chrétienne

389

Nul n'est heureux comme un vrai chrétien, ni raisonnable, ni vertueux, ni aimable.

391

Les exemples des morts généreuses des Lacédémoniens[3] et autres, ne nous touchent guère. Car qu'est-ce que cela nous apporte ?

Mais l'exemple de la mort des martyrs nous touche, car ce sont nos membres[4]. Nous avons un lien commun avec eux. Leur résolution peut former la nôtre non seulement par l'exemple, mais parce qu'elle a peut-être mérité la nôtre.

---

1. Allusion aux deux lois données successivement par Moïse.
2. Allusion aux deux temples que construisirent successivement Salomon et Zorobabel.
3. Les soldats lacédémoniens (de Lacédémone, autre nom de Sparte) étaient réputés pour leur bravoure.
4. L'Église est moins la corporation du Christ que son corps même ; en effet, par le baptême (voir saint Paul, Première Épître aux Corinthiens 12, 13) et par l'eucharistie (voir saint Paul, Première Épître aux Corinthiens 10, 1-6), les chrétiens sont rattachés au corps du Christ. Cela entraîne une solidarité profonde entre tous les croyants.

Il n'est rien de cela aux exemples des païens. Nous n'avons point de liaison à eux. Comme on ne devient pas riche pour voir un étranger qui l'est, mais bien pour voir son père ou son mari qui le soient.

### 392

Morale.

Dieu ayant fait le ciel et la terre, qui ne sentent point le bonheur de leur être, il a voulu faire des êtres qui le connussent et qui composassent un corps de membres pensants. Car nos membres ne sentent point le bonheur de leur union, de leur admirable intelligence, du soin que la nature a d'y influer les esprits et de les faire croître et durer. Qu'ils seraient heureux s'ils le sentaient, s'ils le voyaient ! Mais il faudrait pour cela qu'ils eussent intelligence pour le connaître, et bonne volonté pour consentir à celle de l'âme universelle. Que si, ayant reçu l'intelligence, ils s'en servaient à retenir en eux-mêmes la nourriture sans la laisser passer aux autres membres, ils seraient non seulement injustes mais encore misérables, et se haïraient plutôt que de s'aimer, leur béatitude aussi bien que leur devoir consistant à consentir à la conduite de l'âme entière à qui ils appartiennent, qui les aime mieux qu'ils ne s'aiment eux-mêmes.

### 405

Il faut n'aimer que Dieu et ne haïr que soi.

—

Si le pied avait toujours ignoré qu'il appartînt au corps et qu'il y eût un corps dont il dépendît, s'il n'avait eu que la connaissance et l'amour de soi et qu'il vînt à connaître qu'il appartient à un corps duquel il dépend, quel regret, quelle confusion de sa vie passée, d'avoir été inutile au corps qui lui a influé la vie, qui l'eût anéanti s'il l'eût rejeté et séparé de soi comme il se séparait de lui ! Quelles prières d'y être conservé ! Et avec quelle soumission se laisserait-il gouverner à la volonté qui régit le corps, jusqu'à consentir à être retranché s'il le faut ! Ou il perdrait sa qualité de membre. Car il faut que tout membre veuille bien périr pour le corps, qui est le seul pour qui tout est.

## [XXVIII] Conclusion

409

Qu'il y a loin de la connaissance de Dieu à l'aimer.

410

« Si j'avais vu un miracle, disent-ils, je me convertirais. » Comment assurent-ils qu'ils feraient ce qu'ils ignorent ? Ils s'imaginent que cette conversion consiste en une adoration qui se fait de Dieu comme un commerce[1] et une conversation telle qu'ils se la figurent. La conversion véritable consiste à s'anéantir devant cet être universel qu'on a irrité tant de fois et qui peut vous perdre légitimement à toute heure, à reconnaître qu'on ne peut rien sans lui et qu'on n'a rien mérité de lui que sa disgrâce. Elle consiste à connaître qu'il y a une opposition invincible entre Dieu et nous et que sans un médiateur il ne peut y avoir de commerce.

412

Ne vous étonnez pas de voir des personnes simples croire sans raisonnement : Dieu leur donne l'amour de soi et la haine d'eux-mêmes, il incline leur cœur à croire. On ne croira jamais, d'une créance[2] utile et de foi, si Dieu n'incline le cœur. Et on croira dès qu'il l'inclinera.

---

1. ***Commerce*** : échange, relation.
2. ***Créance*** : croyance.

Et c'est ce que David connaissait bien. *Inclina cor meum, Deus, in*[1], etc.

## 414

Connaisance de Dieu.

Ceux que nous voyons chrétiens sans la connaissance des prophéties et des preuves ne laissent pas[2] d'en juger aussi bien que ceux qui ont cette connaissance. Ils en jugent par le cœur comme les autres en jugent par l'esprit. C'est Dieu lui-même qui les incline à croire, et ainsi ils sont très efficacement persuadés. [...]

---

**1.** ***Inclina cor meum, Deus, in***: « incline mon cœur, Seigneur, vers [ton témoignage, et non point vers le gain] » (Psaume 118, 36) ; les Psaumes étaient traditionnellement attribués à David, roi d'Israël (1000-972 av. J.-C.).
**2.** Voir note 4, p. 76.

Les psaumes chantés
par toute la terre

Qui rend témoignage de
Mahomet ? lui-même
J.-C. veut que son
témoignage ne soit rien

La qualité de témoins
fait qu'il faut qu'ils soient
toujours et partout et
misérable. Il est seul.

ordre

Voir ce qu'il y a de clair dans tout l'état des juifs [illegible]

[illegible]

Cachet

[illegible]

ordre

[illegible]



■ Manuscrit des *Pensées*, folio 27.

# B. Les dossiers mis à part en juin 1658

## [XXXI] Miracles[1]

423

Les prophéties, les miracles mêmes et les preuves de notre religion ne sont pas de telle nature qu'on puisse dire qu'ils sont absolument convaincants, mais ils le sont aussi de telle sorte qu'on ne peut dire que ce soit être sans raison que de les croire. Ainsi il y a de l'évidence et de l'obscurité, pour éclairer les uns et obscurcir les autres. [...]

425

Ce n'est point ici le pays de la vérité. Elle erre inconnue parmi les hommes. Dieu l'a couverte d'un voile qui la laisse méconnaître à ceux qui n'entendent pas sa voix. Le lieu est ouvert au blasphème, et même sur des vérités au moins bien apparentes. Si l'on publie les vérités de l'Évangile, on en publie de contraires, et on obscurcit les questions en sorte que le peuple ne peut discerner. Et on demande : « Qu'avez-vous pour vous faire plutôt croire que les autres ? Quel signe faites-vous ? Vous n'avez que des paroles, et nous aussi. Si vous aviez des miracles, bien. » – Cela est une vérité que la doctrine doit être soutenue par les miracles dont on abuse pour blasphémer la doctrine. Et si les miracles

1. À la suite du miracle de la Sainte-Épine, le 24 mars 1656 (voir note 1, p. 23), Pascal s'était documenté pour rédiger une *Lettre sur les miracles*. Il en reste les notes constituées par trois dossiers (liasses XXX à XXXII).

arrivent, on dit que les miracles ne suffisent pas sans la doctrine. Et c'est une autre vérité[1] pour blasphémer les miracles.

—

Jésus-Christ guérit l'aveugle-né[2] et fit quantité de miracles au jour du sabbat, par où il aveuglait les pharisiens, qui disaient qu'il fallait juger des miracles par la doctrine[3].

*Nous avons Moïse, mais celui-là nous ne savons d'où il est.*

*C'est ce qui est admirable, que vous ne savez d'où il est*, et cependant il fait de tels miracles[4]. [...]

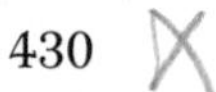

430

[...] Les miracles et la vérité sont nécessaires, à cause qu'il faut convaincre l'homme entier, en corps et en âme. [...]

434

[...] Voici une relique sacrée, voici une épine de la couronne du Sauveur du monde, en qui le prince de ce monde n'a point puissance, qui fait des miracles par la propre puissance de ce sang répandu pour nous. Voici que Dieu choisit lui-même cette maison[5] pour y faire éclater sa puissance. [...]

---

**1.** Sous-entendu « dont on abuse ».

**2.** Évangile de Jean 9, 1-41.

**3.** « Pharisiens » désigne, à l'époque de Jésus-Christ, les Juifs qui vivaient dans la stricte observance de la doctrine constituée par la Loi écrite (Torah) et la tradition orale (Talmud). Les pharisiens considèrent que les miracles de Jésus ne sont pas convaincants parce qu'ils contredisent la doctrine.

**4.** Évangile de Jean 9, 29-30.

**5.** Il s'agit de la maison où vivait la nièce de Pascal, miraculée (voir note 1, p. 23).

## [XXXII] Miracles

### 439

[...] Les deux fondements : l'un intérieur, l'autre extérieur, la grâce, les miracles, tous deux surnaturels. [...]

### 440

[...]

Miracles

Que je hais ceux qui font les douteux de miracles !

Montaigne en parle comme il faut dans les deux endroits. On voit en l'un[1] combien il est prudent. Et néanmoins il croit en l'autre[2] et se moque des incrédules.

Quoi qu'il en soit, l'Église est sans preuve, s'ils ont raison. [...]

## [XXXIII] Miscellanea[3]

### 452

Quand dans un discours se trouvent des mots répétés et qu'essayant de les corriger on les trouve si propres qu'on gâterait le discours, il les faut laisser, c'en est la marque. Et c'est là la part de l'envie, qui est aveugle et qui ne sait pas que cette répétition n'est pas faute en cet endroit. Car il n'y a point de règle générale. [...]

---

**1.** « C'est merveille, de combien vains commencements et frivoles causes naissent ordinairement si fameuses impressions » (*Essais*, III, 11).

**2.** « C'est une sotte présomption d'aller dédaignant et condamnant pour faux ce qui ne nous semble pas vraisemblable » (*Essais*, I, 27).

**3.** ***Miscellanea*** : « choses mêlées » ; miscellanées, mélange de textes.

## 457

Pyrrhonisme[1].

J'écrirai ici mes pensées sans ordre, et non pas peut-être dans une confusion sans dessein[2]. C'est le véritable ordre, et qui marquera toujours mon objet par le désordre même.

Je ferais trop d'honneur à mon sujet, si je le traitais avec ordre, puisque je veux montrer qu'il en est incapable.

—

On ne s'imagine Platon et Aristote qu'avec de grandes robes de pédants. C'étaient des gens honnêtes et comme les autres, riants avec leurs amis. Et quand ils se sont divertis à faire leurs *Lois* et leurs *Politiques*[3], ils l'ont fait en se jouant. C'était la partie la moins philosophe et la moins sérieuse de leur vie, la plus philosophe était de vivre simplement et tranquillement. S'ils ont écrit de[4] politique, c'était comme pour régler un hôpital de fous. Et s'ils ont fait semblant d'en parler comme d'une grande chose, c'est qu'ils savaient que les fous à qui ils parlaient pensent être rois et empereurs. Ils entrent dans leurs principes pour modérer leur folie au moins mal qu'il se peut. [...]

## 460

[...] *Tout ce qui est au monde est concupiscence de la chair ou concupiscence des yeux ou orgueil de la vie*[5]. *Libido sentiendi, libido sciendi, libido dominandi*[6]. [...]

---

1. ***Pyrrhonisme*** : voir note 3, p. 10.
2. ***Dessein*** : but.
3. Platon (v. 427-v. 348 av. J.-C.) est l'auteur d'une trentaine de dialogues mettant en scène Socrate, dont les *Lois* et la *République*. Aristote (384-322 av. J.-C.), élève de Platon, est l'auteur de nombreux ouvrages parmi lesquels un volume intitulé *Politique*.
4. ***De*** : au sujet de.
5. Première Épître de saint Jean 2, 16.
6. « Désir de sensations, désir de savoir, désir de dominer. » Il s'agit de formules qui résument les commentaires de saint Augustin et de Jansénius (voir note 4,

## 462

Écrire contre ceux qui approfondissent trop les sciences. Descartes.

## 466

Miscellanea.

Langage.

Ceux qui font les antithèses en forçant les mots sont comme ceux qui font de fausses fenêtres pour la symétrie.

Leur règle n'est pas de parler juste, mais de faire des figures justes.

## 471

La vraie et unique vertu est donc de se haïr, car on est haïssable par sa concupiscence, et de chercher un être véritablement aimable pour l'aimer. Mais comme nous ne pouvons aimer ce qui est hors de nous, il faut aimer un être qui soit en nous, et qui ne soit pas nous. Et cela est vrai d'un chacun de tous les hommes. Or il n'y a que l'être universel qui soit tel. Le royaume de Dieu est en nous. Le bien universel est en nous, est nous-même et n'est pas nous.

—

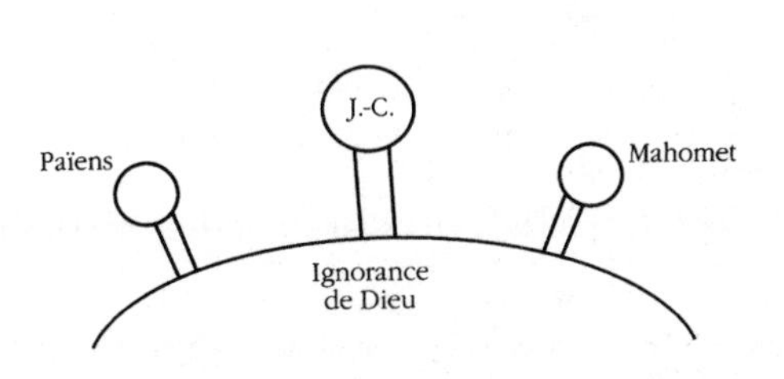


p. 8) sur le texte de saint Jean. Ce sont les mobiles qui mènent le monde : la sensualité, la curiosité, l'orgueil.

480

[...] Saint Augustin a vu qu'on travaille pour l'incertain : sur mer, en bataille[1], etc., mais il n'a pas vu la règle des partis, qui démontre qu'on le doit[2]. Montaigne a vu qu'on s'offense d'un esprit boiteux et que la coutume peut tout[3], mais il n'a pas vu la raison de cet effet.

Toutes ces personnes ont vu les effets, mais ils n'ont pas vu les causes. [...]

485

[...] Éloquence qui persuade par douceur, non par empire, en tyran, non en roi.

## [XXXIV. Pensées mêlées]

494

Le moi est haïssable[4]. Vous, Miton[5], le couvrez, vous ne l'ôtez point pour cela : vous êtes donc toujours haïssable.

« Point. Car en agissant, comme nous faisons, obligeamment[6] pour tout le monde, on n'a plus sujet de nous[7] haïr. »

---

**1.** Dans le *Sermon* 170, saint Augustin évoque les armateurs, les soldats, qui agissent en prenant des risques (voir fr. 134).

**2.** Voir fr. 680. Le calcul des probabilités pousse à parier que Dieu est.

**3.** ***Essais***, III, 8, et I, 23.

**4.** La *Logique de Port-Royal* (III, 19) indique : « Feu M. Pascal [...] portait cette règle [de ne point parler de soi] jusqu'à prétendre qu'un honnête homme devait éviter de se nommer et même de se servir des mots de *je* et de *moi*, et il avait accoutumé de dire à ce sujet que la piété chrétienne anéantit le moi humain, et que la civilité humaine le cache et le supprime. »

**5.** Damien Miton (1618-1690) représente le parfait « honnête homme », le joueur passionné, mais aussi l'« esprit fort », érudit disciple de Montaigne.

**6.** ***Obligeamment*** : aimablement.

**7.** ***Nous*** : le pronom renvoie aux « honnêtes gens ».

– Cela est vrai, si on ne haïssait dans le moi que le déplaisir qui nous en revient.

Mais si je le hais parce qu'il est injuste, qu'il se fait centre de tout, je le haïrai toujours.

En un mot le moi a deux qualités[1] : il est injuste en soi, en ce qu'il se fait centre de tout ; il est incommode aux autres, en ce qu'il les veut asservir, car chaque moi est l'ennemi et voudrait être le tyran de tous les autres. Vous en ôtez l'incommodité, mais non pas l'injustice.

Et ainsi vous ne le rendez pas aimable à ceux qui en haïssent l'injustice. Vous ne le rendez aimable qu'aux injustes, qui n'y trouvent plus leur ennemi. Et ainsi vous demeurez injuste, et ne pouvez plaire qu'aux injustes.

## 511

[...] tout ce qui nous incite à nous attacher aux créatures est mauvais, puisque cela nous empêche ou de servir Dieu, si nous le connaissons, ou de le chercher, si nous l'ignorons. [...]

## 513

L'homme est visiblement fait pour penser. C'est toute sa dignité et tout son mérite, et tout son devoir est de penser comme il faut. Or l'ordre de la pensée est de commencer par soi et par son auteur et sa fin.

Or à quoi pense le monde ? Jamais à cela ! Mais à danser, à jouer du luth, à chanter, à faire des vers, à courir la bague[2], etc., à se battre, à se faire roi, sans penser à ce que c'est qu'être roi, et qu'être homme.

---

**1.** ***Qualités*** : propriétés.

**2.** ***Courir la bague*** : exercice de manège que font les gentilshommes pour montrer leur adresse, lorsque, avec une lance, en courant à toute bride, ils emportent une bague suspendue à une potence (Dictionnaire Furetière).

515

Ennui[1].

Rien n'est plus insupportable à l'homme que d'être dans un plein repos, sans passions, sans affaires, sans divertissement, sans application. Il sent alors son néant, son abandon, son insuffisance, sa dépendance, son impuissance, son vide. Incontinent il sortira du fond de son âme l'ennui, la noirceur, la tristesse, le chagrin, le dépit, le désespoir.

520

La vanité est si ancrée dans le cœur de l'homme qu'un soldat, un goujat[2], un cuisinier, un crocheteur[3] se vante et veut avoir ses admirateurs, et les philosophes mêmes en veulent, et ceux qui écrivent contre veulent avoir la gloire d'avoir bien écrit, et ceux qui les lisent veulent avoir la gloire de [les] avoir lus, et moi qui écris ceci ai peut-être cette envie, et peut-être que ceux qui le liront...

525

La sensibilité de l'homme aux petites choses et l'insensibilité aux plus grandes choses : marque d'un étrange renversement.

## [XXXV. Pensées mêlées]

534

Montaigne.

Ce que Montaigne a de bon ne peut être acquis que difficilement. Ce qu'il a de mauvais, j'entends hors les mœurs, put[4] être

---

1. ***Ennui*** : ici, violent chagrin intérieur (du latin *inodium*, « haine »).
2. ***Goujat*** : valet de soldat (Dictionnaire Furetière).
3. ***Crocheteur*** : portefaix qui transporte des fardeaux sur des crochets (Dictionnaire Furetière).
4. ***Put*** : aurait pu (latinisme).

corrigé en un moment, si on l'eût averti qu'il faisait[1] trop d'histoires et qu'il parlait trop de soi.

536

[...] Quand un discours naturel peint une passion ou un effet, on trouve dans soi-même la vérité de ce qu'on entend, laquelle on ne savait pas qu'elle y fût, de sorte qu'on est porté à aimer celui qui nous la fait sentir, car il ne nous a point fait montre de son bien, mais du nôtre [...].

539

[...] Nous ne sommes que mensonge, duplicité, contrariété, et nous cachons et nous déguisons à nous-mêmes.

540

En écrivant ma pensée, elle m'échappe quelquefois, mais cela me fait souvenir de ma faiblesse, que j'oublie à toute heure. Ce qui m'instruit autant que ma pensée oubliée, car je ne tiens qu'à connaître mon néant.

541

Plaindre les malheureux n'est pas contre la concupiscence. Au contraire, on est bien aise d'avoir à rendre ce témoignage d'amitié[2] et à s'attirer la réputation de tendresse sans rien donner.

552

Il n'aime plus cette personne qu'il aimait il y a dix ans. Je crois bien : elle n'est plus la même, ni lui non plus. Il était jeune et elle aussi : elle est tout autre. Il l'aimerait peut-être encore telle qu'elle était alors.

---

**1.** ***Faisait*** : racontait.
**2.** ***Rendre ce témoignage d'amitié*** : s'acquitter de cette marque de bienveillance.

## 553

Nous ne nous soutenons pas dans la vertu par notre propre force, mais par le contrepoids de deux vices opposés, comme nous demeurons debout entre deux vents contraires. Ôtez un de ces vices, nous tombons dans l'autre.

## 554

### Style.

Quand on voit le style naturel, on est tout étonné et ravi, car on s'attendait de voir un auteur, et on trouve un homme. Au lieu que ceux qui ont le goût bon et qui en voyant un livre croient trouver un homme, sont tout surpris de trouver un auteur : PLUS POETICE QUAM HUMANE LOCUTUS ES[1]. Ceux-là honorent bien la nature, qui lui apprennent qu'elle peut parler de tout, et même de théologie.

## 557

L'homme n'est ni ange ni bête, et le malheur veut que qui veut faire l'ange fait la bête[2].

## 559

### Montaigne.

Les défauts de Montaigne sont grands. [...]

Il inspire une nonchalance du salut SANS CRAINTE ET SANS REPENTIR[3]. [...] il ne songe qu'à mourir lâchement et mollement par tout son livre.

---

**1.** « Tu as parlé en poète, plus qu'en [honnête] homme » (Pétrone, *Satyricon*, 90).

**2.** « Ils veulent se mettre hors d'eux et échapper à l'homme. C'est folie : au lieu de se transformer en anges, ils se transforment en bêtes ; au lieu de se hausser, ils s'abattent » (*Essais*, III, 13).

**3.** « Je dis souvent que je me repens rarement » (*Essais*, III, 2).

## 566

J'avais passé longtemps dans l'étude des sciences abstraites, et le peu de communication qu'on en peut avoir m'en avait dégoûté. Quand j'ai commencé l'étude de l'homme, j'ai vu que ces sciences abstraites ne sont pas propres à l'homme, et que je m'égarais plus de ma condition en y pénétrant que les autres en l'ignorant. J'ai pardonné aux autres d'y peu savoir. Mais j'ai cru trouver au moins bien des compagnons en l'étude de l'homme, et que c'est le vrai [1] étude qui lui est propre. J'ai été trompé : il y en a encore moins qui l'étudient que la géométrie. Ce n'est que manque de savoir étudier cela qu'on cherche le reste. Mais n'est-ce pas que ce n'est pas encore là la science que l'homme doit avoir, et qu'il lui est meilleur de s'ignorer pour être heureux ?

## 567

Qu'est-ce que le moi ?

Un homme qui se met à la fenêtre pour voir les passants, si je passe par là, puis-je dire qu'il s'est mis là pour me voir ? Non, car il ne pense pas à moi en particulier. Mais celui qui aime quelqu'un à cause de sa beauté, l'aime-t-il ? Non, car la petite vérole, qui tuera la beauté sans tuer la personne, fera qu'il ne l'aimera plus.

Et si on m'aime pour mon jugement, pour ma mémoire, m'aime-t-on moi ? Non, car je puis perdre ces qualités sans me perdre moi. Où est donc ce moi, s'il n'est ni dans le corps, ni dans l'âme ? Et comment aimer le corps ou l'âme sinon pour ses qualités, qui ne sont point ce qui fait le moi, puisqu'elles sont périssables ? Car aimerait-on la substance de l'âme d'une personne abstraitement, et quelques qualités qui y fussent ? Cela ne se peut et serait injuste. On n'aime donc jamais personne, mais seulement des qualités.

---

1. ***Le vrai*** : la véritable.

Qu'on ne se moque donc plus de ceux qui se font honorer pour des charges et des offices[1] ! Car on n'aime personne que pour des qualités empruntées[2].

### 568

Ce n'est pas dans Montaigne, mais dans moi que je trouve tout ce que j'y vois[3].

### 575

Qu'on ne dise pas que je n'ai rien dit de nouveau : la disposition des matières est nouvelle. Quand on joue à la paume[4], c'est une même balle dont joue l'un et l'autre, mais l'un la place mieux.

J'aimerais autant qu'on me dît que je me suis servi des mots anciens. Et comme si les mêmes pensées ne formaient pas un autre corps de discours par une disposition différente, aussi bien que les mêmes mots forment d'autres pensées par leur différente disposition.

### 576

Ceux qui sont dans le dérèglement[5] disent à ceux qui sont dans l'ordre que ce sont eux qui s'éloignent de la nature, et ils la croient suivre : comme ceux qui sont dans un vaisseau croient que ceux qui sont au bord fuient. Le langage est pareil de tous côtés. Il faut avoir un point fixe, pour en juger. Le port juge ceux qui sont dans un vaisseau. Mais où prendrons-nous un port dans la morale ?

---

**1.** ***Pour des charges et des offices*** : parce qu'ils occupent certains emplois.
**2.** ***On n'aime personne que pour des qualités empruntées*** : on n'aime quelqu'un (une personne) que pour des qualités momentanées, superficielles.
**3.** À rapprocher du fr. 536.
**4.** ***Paume*** : ancêtre du tennis ; jeu, sport qui consistait à se renvoyer une balle de part et d'autre d'un filet, au moyen de la main à l'origine, puis d'un instrument (raquette, batte).
**5.** ***Dérèglement*** : désordre (moral).

579

Quand on veut reprendre avec utilité et montrer à un autre qu'il se trompe, il faut observer par quel côté il envisage la chose, car elle est vraie ordinairement de ce côté-là, et lui avouer cette vérité, mais lui découvrir[1] le côté par où elle est fausse. Il se contente[2] de cela, car il voit qu'il ne se trompait pas et qu'il manquait seulement à voir tous les côtés. Or on ne se fâche pas de ne pas tout voir [...].

1. ***Découvrir*** : montrer.
2. ***Se contente*** : s'accommode, se satisfait.

# C. Les derniers dossiers de « Pensées mêlées » (juillet 1658-juillet 1662)

## [XXXVI. Pensées mêlées]

617

Lorsqu'on est accoutumé à se servir de mauvaises raisons pour prouver des effets de la nature, on ne veut plus recevoir les bonnes, lorsqu'elles sont découvertes. L'exemple qu'on en donna fut sur la circulation du sang, pour rendre raison pourquoi la veine enfle au-dessous de la ligature[1].

—

On se persuade mieux, pour l'ordinaire, par les raisons qu'on a soi-même trouvées, que par celles qui sont venues dans l'esprit des autres. [...]

La machine d'arithmétique[2] fait des effets qui approchent plus de la pensée que tout ce que font les animaux. Mais elle ne fait rien qui puisse faire dire qu'elle a de la volonté, comme les animaux. [...]

---

1. William Harvey (1578-1667), médecin anglais, venait de publier *Exercitatio anatomica de motu cordis et sanguinis in animalibus* (1628), où il exposait sa théorie de la circulation du sang, à laquelle se rallièrent d'emblée Pascal et Descartes.

2. ***Machine d'arithmétique*** : il s'agit de la « Pascaline » (voir chronologie, p. 33 et illustration, p. 158), fabriquée en 1642, première machine à calculer conservée de l'histoire. Elle prouve la faisabilité du calcul mécanique. Elle est à l'origine des ordinateurs modernes.

## 618

Lorsqu'on ne sait pas la vérité d'une chose, il est bon qu'il y ait une erreur commune qui fixe l'esprit des hommes, comme par exemple la lune, à qui on attribue le changement des saisons, le progrès des maladies, etc. Car la maladie principale de l'homme est la curiosité inquiète des choses qu'il ne peut savoir. Et il ne lui est pas si mauvais d'être dans l'erreur, que dans cette curiosité inutile.

—

La manière d'écrire d'Épictète, de Montaigne et de Salomon de Tultie[1], est la plus d'usage, qui s'insinue le mieux[2], qui demeure plus dans la mémoire et qui se fait le plus citer, parce qu'elle est toute composée de pensées nées sur les entretiens ordinaires de la vie ; comme, quand on parlera de la commune erreur qui est parmi le monde que la lune est cause de tout, on ne manquera jamais de dire que Salomon de Tultie dit que, lorsqu'on ne sait pas la vérité d'une chose, il est bon qu'il y ait une erreur commune, etc., qui est la pensée de l'autre côté.

## 620

Sur ce que la religion
chrétienne n'est pas unique.

Tant s'en faut que ce soit une raison qui fasse croire qu'elle n'est pas la véritable, qu'au contraire c'est ce qui fait voir qu'elle l'est.

## 621

Objection : Ceux qui espèrent leur salut sont heureux en cela[3], mais ils ont pour contrepoids la crainte de l'enfer. – Réponse : Qui a plus de sujet de craindre l'enfer, ou celui qui est dans l'ignorance

---

1. ***Salomon de Tultie*** : anagramme de Louis de Montalte, signataire des *Provinciales* (1656-1657), et pseudonyme de Pascal.
2. ***Qui s'insinue le mieux*** : celle qui persuade le mieux.
3. ***En cela*** : de cela, c'est-à-dire du fait que la religion chrétienne n'est pas unique (voir fr. 620).

s'il y a un enfer, et dans la certitude de la damnation, s'il y en a ; ou celui qui est dans une certaine persuasion qu'il y a un enfer, et dans l'espérance d'être sauvé, s'il est ?

## [XXXVII. Pensées mêlées]

636

L'éloquence continue ennuie.

—

Les princes et rois jouent quelquefois, ils ne sont pas toujours sur leurs trônes : ils s'y ennuieraient. La grandeur a besoin d'être quittée pour être sentie. La continuité dégoûte en tout. Le froid est agréable pour se chauffer.

—

La nature agit par progrès, *itus et reditus*[1]. Elle passe et revient, puis va plus loin, puis deux fois moins, puis plus que jamais, etc.

Le flux de la mer se fait ainsi, le soleil semble marcher ainsi :

[...]

644

Préface de la première partie.

Parler de ceux qui ont traité de la connaissance de soi-même ; des divisions de Charron[2], qui attristent et ennuient ; de la

1. ***Itus et reditus*** : par aller et retour, va-et-vient.
2. Le théologien Pierre Charron (1541-1603) avait divisé son traité *De la sagesse* en cent dix-sept chapitres ; il avait la passion des divisions .../...

confusion de Montaigne : qu'il avait bien senti le défaut d'une droite méthode, qu'il l'évitait en sautant de sujet en sujet, qu'il cherchait le bon air [1].

Le sot projet qu'il a de se peindre ! Et cela non pas en passant et contre ses maximes, comme il arrive à tout le monde de faillir, mais par ses propres maximes et par un dessein premier et principal. Car de dire [2] des sottises par hasard et par faiblesse, c'est un mal ordinaire. Mais d'en dire par dessein [3], c'est ce qui n'est pas supportable. Et d'en dire de telles que celles-ci...

—

Préface de la seconde partie.

Parler de ceux qui ont traité de cette matière.

J'admire avec quelle hardiesse ces personnes entreprennent de parler de Dieu. En adressant leurs discours aux impies, leur premier chapitre est de prouver la divinité par les ouvrages de la nature. Je ne m'étonnerais pas de leur entreprise s'ils adressaient leurs discours aux fidèles, car il est certain [que ceux] qui ont la foi vive dedans le cœur voient incontinent que tout ce qui est n'est autre chose que l'ouvrage du Dieu qu'ils adorent. Mais pour ceux en qui cette lumière est éteinte [...] [,] leur donner pour toute preuve de ce grand et important sujet le cours de la lune et des planètes, et prétendre avoir achevé sa preuve avec un tel discours, c'est leur donner sujet de croire que les preuves de notre religion sont bien faibles. Et je vois par raison et par expérience que rien n'est plus propre à leur en faire naître le mépris. Ce n'est pas de cette sorte que l'Écriture, qui connaît mieux les

---

.../... et subdivisions méticuleuses, des numérotations et des classements didactiques, des étiquettes pseudo-scientifiques, etc.

1. ***Le bon air*** : le bon dessin, la bonne ressemblance (Dictionnaire Furetière).

2. ***De dire*** : le fait de dire.

3. ***Par dessein*** : intentionnellement ; « Je ne suis pas obligé à ne dire point de sottises, pourvu que je ne me trompe pas à les [re]connaître » (*Essais*, II, 17).

choses qui sont de Dieu, en parle. Elle dit au contraire que Dieu est un Dieu caché [...] : *Vere tu es Deus absconditus.*

645

[...] Les mots diversement rangés font un divers sens. Et les sens diversement rangés font divers effets.

## [XXXVIII. Pensées mêlées]

653

[...] Si nous rêvions toutes les nuits la même chose, elle nous affecterait autant que les objets que nous voyons tous les jours. [...]

Mais parce que les songes sont tous différents, et que l'un même se diversifie, ce qu'on y voit affecte bien moins que ce qu'on voit en veillant, à cause de la continuité, qui n'est pourtant pas si continue et égale qu'elle ne change aussi, mais moins brusquement, si ce n'est rarement, comme quand on voyage, et alors on dit : Il me semble que je rêve. Car la vie est un songe, un peu moins inconstant.

## [XXXIX. Pensées mêlées]

659

[...] J'aurais bientôt quitté les plaisirs, disent-ils, si j'avais la foi. Et moi je vous dis : Vous auriez bientôt la foi, si vous aviez quitté les plaisirs. Or c'est à vous à commencer. Si je pouvais, je vous donnerais la foi ; je ne puis le faire, ni partant éprouver la vérité de ce que vous dites. Mais vous pouvez bien quitter les plaisirs et éprouver si ce que je dis est vrai. [...]

# [XL. Pensées mêlées]

## 661

Car il ne faut pas se méconnaître : nous sommes automate[1] autant qu'esprit. Et de là vient que l'instrument par lequel la persuasion se fait n'est pas la seule démonstration. Combien y a-t-il peu de choses démontrées ! Les preuves ne convainquent que l'esprit ; la coutume[2] fait nos preuves les plus fortes et les plus crues : elle incline[3] l'automate, qui entraîne l'esprit sans qu'il y pense. Qui a démontré qu'il sera demain jour, et que nous mourrons ? Et qu'y a-t-il de plus cru ? C'est donc la coutume qui nous en persuade, c'est elle qui fait tant de chrétiens, c'est elle qui fait les Turcs, les païens, les métiers, les soldats, etc. (Il y a la foi reçue dans le baptême de plus aux chrétiens qu'aux païens[4].) Enfin il faut avoir recours à elle, quand une fois l'esprit a vu où est la vérité, afin de nous abreuver et nous teindre[5] de cette créance, qui nous échappe à toute heure. Car d'en avoir toujours les preuves présentes, c'est trop d'affaire. Il faut acquérir une créance[6] plus facile, qui est celle de l'habitude, qui sans violence, sans art, sans argument, nous fait croire les choses et incline toutes nos puissances à cette croyance, en sorte que notre âme y tombe[7] naturellement.

1. ***Automate*** : machine. Pascal admet la théorie de l'animal-machine de Descartes. Comme l'animal, l'homme est une machine vivante fonctionnant de façon strictement mécanique. La différence entre les deux créatures est que Dieu a joint une âme au corps de l'homme.
2. ***Coutume*** : habitude.
3. ***Incline*** : influence, dispose.
4. Il faut comprendre : les chrétiens bénéficient en plus de la foi reçue dans le baptême.
5. ***Teindre*** : imprégner, pénétrer, persuader.
6. ***Créance*** : voir note 2, p. 110.
7. ***Y tombe*** : y est entraînée.

Quand on ne croit que par la force de la conviction, et que l'automate est incliné à croire le contraire, ce n'est pas assez. Il faut donc faire croire nos deux pièces ; l'esprit, par les raisons, qu'il suffit d'avoir vues une fois en sa vie ; et l'automate, par la coutume, et en ne lui permettant pas de s'incliner au contraire.

*Inclina cor meum, Deus*[1]...

## [XLI. Pensées mêlées]

668

[...] Ces grands efforts d'esprit où l'âme touche quelquefois, sont choses où elle ne se tient pas. Elle y saute seulement, non comme sur le trône pour toujours, mais pour un instant seulement.

## [XLII. Géométrie / finesse]

669

Masquer la nature et la déguiser : plus de roi, de pape, d'évêque, mais « auguste monarque », etc. Point de Paris, « capitale du royaume ».

Il y a des lieux où il faut appeler Paris, Paris, et d'autres où il la faut appeler capitale du royaume.

—

À mesure qu'on a plus d'esprit, on trouve qu'il y a plus d'hommes originaux. Les gens du commun ne trouvent point de différence entre les hommes.

—

1. Voir note 1, p. 111.

Diverses sortes de sens droit : les uns dans un certain ordre de choses, et non dans les autres ordres, où ils extravaguent.

—

Les uns tirent bien les conséquences de peu de principes, et c'est une droiture de sens.

Les autres tirent bien les conséquences des choses où il y a beaucoup de principes.

Par exemple, les uns comprennent bien les effets de l'eau, en quoi il y a peu de principes ; mais les conséquences en sont si fines qu'il n'y a qu'une extrême droiture d'esprit qui y puisse aller. Et ceux-là ne seraient peut-être pas pour cela grands géomètres, parce que la géométrie comprend un grand nombre de principes, et qu'une nature d'esprit peut être telle qu'elle puisse bien pénétrer peu de principes jusqu'au fond, et qu'elle ne puisse pénétrer le moins du monde les choses où il y a beaucoup de principes.

Il y a donc deux sortes d'esprits : l'une, de pénétrer vivement et profondément les conséquences des principes, et c'est là l'esprit de justesse ; l'autre, de comprendre un grand nombre de principes sans les confondre, et c'est là l'esprit de géométrie. L'un est force et droiture d'esprit, l'autre est amplitude d'esprit. Or l'un peut bien être sans l'autre, l'esprit pouvant être fort et étroit, et pouvant être aussi ample et faible.

## [XLIII. Géométrie / finesse]

### 670

Différence
entre l'esprit de géométrie [1]
et l'esprit de finesse [2].

En l'un les principes [3] sont palpables [4], mais éloignés de l'usage commun [5], de sorte qu'on a peine à tourner la tête [6] de ce côté-là, manque d'habitude. Mais pour peu qu'on l'y tourne, on voit les principes à plein, et il faudrait avoir tout à fait l'esprit faux pour mal raisonner sur des principes si gros qu'il est presque impossible qu'ils échappent.

Mais dans l'esprit de finesse les principes sont dans l'usage commun et devant les yeux de tout le monde. On n'a que faire de tourner la tête, ni de se faire violence ; il n'est question que d'avoir bonne vue. Mais il faut l'avoir bonne, car les principes sont si déliés [7] et en si grand nombre qu'il est presque impossible qu'il n'en échappe. Or l'omission d'un principe mène à l'erreur. Ainsi il faut avoir la vue bien nette pour voir tous les principes, et ensuite l'esprit juste pour ne pas raisonner faussement sur des principes connus.

Tous les géomètres seraient donc fins, s'ils avaient la vue bonne, car ils ne raisonnent pas faux sur les principes qu'ils connaissent. Et les esprits fins seraient géomètres, s'ils pouvaient plier leur vue vers les principes inaccoutumés de géométrie. [...]

---

1. ***L'esprit de géométrie*** : l'esprit des logiciens, des mathématiciens.
2. ***L'esprit de finesse*** : l'esprit des intuitifs.
3. ***Principes*** : axiomes et définitions.
4. ***Palpables*** : faciles à manier.
5. ***Éloignés de l'usage commun*** : coupés de la vie courante.
6. ***Tourner la tête*** : diriger son attention.
7. ***Déliés*** : fins, subtils.

671

Géométrie / finesse.

La vraie éloquence se moque de l'éloquence. La vraie morale se moque de la morale, c'est-à-dire que la morale du jugement se moque de la morale de l'esprit, qui est sans règles.

Car le jugement est celui à qui appartient le sentiment, comme les sciences appartiennent à l'esprit. La finesse est la part du jugement, la géométrie est celle de l'esprit.

Se moquer de la philosophie, c'est vraiment philosopher[1]. [...]

## [XLIV] L'autorité[2]

673

*Quod crebro videt non miratur, etiamsi cur fiat nescit. Quod ante non viderit, id si evenerit, ostentum esse censet* (Cicéron)[3].

674

583[4]. – *Nae iste magno conatu magnas nugas dixerit* (Térence)[5].

---

1. « Un ancien à qui on reprochait qu'il faisait profession de la Philosophie, de laquelle pourtant en son jugement il ne tenait pas grand compte, répondit que cela c'était vraiment philosopher » (*Essais*, II, 12).
2. Toutes les citations de ce dossier sont extraites des *Essais* (1580-1588) de Montaigne.
3. « Ce qu'il voit fréquemment ne l'étonne pas, même s'il n'en sait pas la cause. Mais s'il arrive quelque chose qu'il n'a jamais vu, il le considère comme un prodige » (Cicéron, *De la divination*, II, 27 ; d'après *Essais*, II, 30).
4. Ce numéro renvoie à la page de l'édition des *Essais* de 1652 que possédait Pascal.
5. « Bien sûr, ce type va se donner une grande peine pour me dire de grandes sottises » (Térence, *Héautontimorouménos*, III, 8 ; d'après *Essais*, III, 1).

*Quasi quicquam infelicius sit bomine cui sua figmenta dominantur* (Pline)[1].

675

[...] *Nihil tam absurde dici potest quod non dicatur ab aliquo philosophorum* (*De divinatione*)[2]. [...]

**1.** « Comme s'il y avait plus malheureux qu'un homme dominé par ses lubies » (Pline, *Correspondance*, II, 7 ; d'après *Essais*, II, 12).
**2.** « Rien d'absurde ne peut être dit qui n'ait déjà été dit par quelque philosophe » (Cicéron, *De la divination*, II, 58 ; d'après *Essais*, II, 12).

# D. Les développements de juillet 1658 à juillet 1662

## [XLV] Le discours de la machine

680

[...] disons : Dieu est, ou il n'est pas. Mais de quel côté pencherons-nous ? La raison n'y peut rien déterminer. Il y a un chaos infini qui nous sépare. Il se joue un jeu, à l'extrémité de cette distance infinie, où il arrivera croix ou pile[1] : que gagerez-vous ? Par raison vous ne pouvez faire ni l'un ni l'autre, par raison vous ne pouvez défendre nul des deux.

Ne blâmez donc pas de fausseté ceux qui ont pris un choix, car vous n'en savez rien ! – « Non, mais je les blâmerai d'avoir fait, non ce choix, mais un choix. Car encore que celui qui prend croix et l'autre soient en pareille faute, ils sont tous deux en faute. Le juste est de ne point parier. » –

Oui, mais il faut parier. Cela n'est pas volontaire, vous êtes embarqué. Lequel prendrez-vous donc ? Voyons. Puisqu'il faut choisir, voyons ce qui vous intéresse le moins. Vous avez deux choses à perdre[2] : le vrai et le bien, et deux choses à engager : votre raison et votre volonté[3], votre connaissance et votre béatitude[4] ; et votre nature a deux choses à fuir : l'erreur et la misère.

1. ***Croix ou pile*** : face ou pile.
2. Il faut comprendre : deux choses à ne pas perdre.
3. La ***raison*** et la ***volonté*** sont de l'ordre de l'esprit.
4. La ***connaissance*** et la ***béatitude*** sont de l'ordre du cœur.

Votre raison n'est pas plus blessée, puisqu'il faut nécessairement choisir, en choisissant l'un que l'autre [1]. Voilà un point vidé. Mais votre béatitude ? Pesons le gain et la perte, en prenant croix que Dieu est. Estimons ces deux cas : Si vous gagnez, vous gagnez tout [2] ; si vous perdez, vous ne perdez rien [3]. Gagez donc qu'il est, sans hésiter ! – « Cela est admirable. Oui, il faut gager. Mais je gage peut-être trop. » – Voyons. Puisqu'il y a pareil hasard [4] de gain et de perte, si vous n'aviez qu'à gagner deux vies pour une, vous pourriez encore gager. Mais s'il y en avait trois à gagner, il faudrait jouer (puisque vous êtes dans la nécessité de jouer), et vous seriez imprudent, lorsque vous êtes forcé à jouer, de ne pas hasarder votre vie pour en gagner trois à un jeu où il y a pareil hasard de perte et de gain. Mais il y a une éternité de vie et de bonheur. Et cela étant, quand [5] il y aurait une infinité de hasards dont un seul serait pour vous [6], vous auriez encore raison de gager un pour avoir deux, et vous agiriez de mauvais sens, étant obligé à jouer, de refuser de jouer une vie contre trois à un jeu où d'une infinité de hasards il y en a un pour vous, s'il y avait une infinité de vie infiniment heureuse à gagner : mais il y a ici une infinité de vie infiniment heureuse à gagner, un hasard de gain contre un nombre fini de hasards de perte, et ce que vous jouez est fini. Cela ôte tout parti : partout où est l'infini et où il n'y a pas infinité de hasards de perte contre celui de gain, il n'y a point à balancer, il faut tout donner. Et ainsi, quand on est forcé à jouer, il faut renoncer à la raison [7] pour garder la vie plutôt que de la hasarder pour le gain infini aussi prêt à arriver que la perte du néant. [...]

1. ***En choisissant l'un que l'autre*** : en choisissant l'un plus que l'autre, c'est-à-dire croix ou pile.
2. ***Tout*** : ici, le salut.
3. ***Rien*** : ici, les biens terrestres.
4. ***Pareil hasard*** : pareille probabilité.
5. ***Quand*** : quand bien même.
6. ***Serait pour vous*** : vous serait favorable.
7. ***Renoncer à la raison*** : être fou.

Cela est démonstratif[1], et si les hommes sont capables de quelque vérité, celle-là l'est.

« Je le confesse, je l'avoue, mais encore... N'y a-t-il point moyen de voir le dessous du jeu ? » – Oui, l'Écriture, et le reste, etc. – « Oui, mais j'ai les mains liées et la bouche muette. On me force à parier, et je ne suis pas en liberté, on ne me relâche pas. Et je suis fait d'une telle sorte que je ne puis croire. Que voulez-vous donc que je fasse ? » – Il est vrai. Mais apprenez au moins que votre impuissance à croire, puisque la raison vous y porte et que néanmoins vous ne le pouvez, (*vient*) de vos passions. Travaillez donc, non pas à vous convaincre par l'augmentation des preuves de Dieu, mais par la diminution de vos passions. Vous voulez aller à la foi, et vous n'en savez pas le chemin ? Vous voulez vous guérir de l'infidélité, et vous en demandez les remèdes ? Apprenez de ceux qui ont été liés comme vous et qui parient maintenant tout leur bien : ce sont gens qui savent ce chemin que vous voudriez suivre et guéris d'un mal dont vous voulez guérir. Suivez la manière par où ils ont commencé : c'est en faisant tout comme s'ils croyaient, en prenant de l'eau bénite, en faisant dire des messes, etc. Naturellement même cela vous fera croire et vous abêtira[2]. – « Mais c'est ce que je crains. » – Et pourquoi ? Qu'avez-vous à perdre ? [...]

Fin de ce discours.

[...] Il n'y a que la religion chrétienne qui rende l'homme AIMABLE et HEUREUX tout ensemble. Dans l'honnêteté[3] on ne peut être aimable et heureux ensemble.

C'est le cœur qui sent Dieu, et non la raison : voilà ce que c'est que la foi. Dieu sensible au cœur, non à la raison.

---

1. ***Démonstratif*** : convaincant, évident, certain (Dictionnaire Furetière).
2. ***Cela*** [...] ***vous abêtira*** : cela habituera la partie bestiale (animale, mécanique, physique) de l'homme à s'humilier, ce qui permet peu à peu de retourner au christianisme.
3. ***Dans l'honnêteté*** : en étant « honnête homme », au sens classique.

Le cœur a ses raisons, que la raison ne connaît point : on le sait en mille choses. [...]

## [XLVI] Lettre pour porter à rechercher Dieu[1]

681

[...] L'immortalité de l'âme est une chose qui nous importe si fort, qui nous touche si profondément, qu'il faut avoir perdu tout sentiment pour être dans l'indifférence de savoir ce qui en est. Toutes nos actions et nos pensées doivent prendre des routes si différentes, selon qu'il y aura des biens éternels à espérer ou non, qu'il est impossible de faire une démarche avec sens et jugement, qu'en la réglant par la vue de ce point, qui doit être notre dernier objet.

[...] C'est donc assurément un grand mal que d'être dans ce doute. Mais c'est au moins un devoir indispensable de chercher, quand on est dans ce doute. Et ainsi celui qui doute et qui ne cherche pas est tout ensemble et bien malheureux et bien injuste. Que s'il est avec cela tranquille et satisfait, qu'il en fasse profession, et enfin qu'il en fasse vanité, et que ce soit de cet état même qu'il fasse le sujet de sa joie et de sa vanité, je n'ai point de termes pour qualifier une si extravagante créature.

Où peut-on prendre ces sentiments ? Quel sujet de joie trouve-t-on à n'attendre plus que des misères sans ressource ?

Quel sujet de vanité de se voir dans des obscurités impénétrables, et comment se peut-il faire que ce raisonnement-ci se passe dans un homme raisonnable ?

« Je[2] ne sais qui m'a mis au monde, ni ce que c'est que le monde, ni que moi-même. Je suis dans une ignorance terrible de

---

**1.** Ce texte, comme le précédent, est une dilatation interne du dossier « Commencement ». Le fr. 45 indique que cette lettre était destinée à précéder « Le discours de la machine » (« Le pari »).

**2.** Ce discours est placé dans la bouche d'un athée.

toutes choses. Je ne sais ce que c'est que mon corps, que mes sens, que mon âme et cette partie même de moi qui pense ce que je dis, qui fait réflexion sur tout et sur elle-même, et ne se connaît non plus que le reste. Je vois ces effroyables espaces de l'univers qui m'enferment, et je me trouve attaché à un coin de cette vaste étendue, sans que je sache pourquoi je suis plutôt placé en ce lieu qu'en un autre, ni pourquoi ce peu de temps qui m'est donné à vivre m'est assigné à ce point[1] plutôt qu'en un autre de toute l'éternité qui m'a précédé et de toute celle qui me suit.

Je ne vois que des infinités de toutes parts, qui m'enferment comme un atome et comme une ombre qui ne dure qu'un instant sans retour.

Tout ce que je connais est que je dois bientôt mourir, mais ce que j'ignore le plus est cette mort même que je ne saurais éviter.

Comme je ne sais d'où je viens, aussi[2] je ne sais où je vais, et je sais seulement qu'en sortant de ce monde je tombe pour jamais ou dans le néant, ou dans les mains d'un Dieu irrité, sans savoir à laquelle de ces deux conditions je dois être éternellement en partage. Voilà mon état, plein de faiblesse et d'incertitude. Et de tout cela je conclus que je dois donc passer tous les jours de ma vie sans songer à chercher ce qui doit m'arriver. Peut-être que je pourrais trouver quelque éclaircissement dans mes doutes, mais je n'en veux pas prendre la peine, ni faire un pas pour le chercher. Et après, en traitant avec mépris ceux qui se travailleront de ce soin, je veux aller sans prévoyance et sans crainte tenter un si grand événement, et me laisser mollement conduire à la mort, dans l'incertitude de l'éternité de ma condition future. »

Qui souhaiterait d'avoir pour ami un homme qui discourt de cette manière ? Qui le choisirait entre les autres pour lui communiquer ses affaires ? Qui aurait recours à lui dans ses afflictions ?

Et enfin, à quel usage de la vie le pourrait-on destiner ? […]

---

1. ***Assigné à ce point*** : attribué à cet endroit.
2. ***Aussi*** : de même.

686

Qu'on s'imagine un nombre d'hommes dans les chaînes, et tous condamnés à la mort, dont les uns étant chaque jour égorgés à la vue des autres, ceux qui restent voient leur propre condition [1] dans celle de leurs semblables, et, se regardant l'un l'autre avec douleur et sans espérance, attendent à leur tour !

## [XLVII] Préface de la seconde partie

690 [2]

[...] tout l'univers apprend à l'homme ou qu'il est corrompu, ou qu'il est racheté. Tout lui apprend sa grandeur ou sa misère. L'abandon de Dieu paraît dans les païens, la protection de Dieu paraît dans les Juifs.

Tous errent d'autant plus dangereusement qu'ils suivent chacun une vérité : leur faute n'est pas de suivre une fausseté, mais de ne pas suivre une autre vérité.

Il est donc vrai que tout instruit l'homme de sa condition, mais il le faut bien entendre : car il n'est pas vrai que tout découvre Dieu, et il n'est pas vrai que tout cache Dieu, mais il est vrai tout ensemble qu'il se cache à ceux qui le tentent et qu'il se découvre à ceux qui le cherchent, parce que les hommes sont tout ensemble indignes de Dieu et capables de Dieu, indignes par leur corruption, capables par leur première nature.

Que conclurons-nous donc de toutes nos obscurités, sinon notre indignité ?

S'il n'y avait point d'obscurité, l'homme ne sentirait pas sa corruption. S'il n'y avait point de lumière, l'homme n'espérerait point de remède. Ainsi il est non seulement juste, mais utile pour nous, que Dieu soit caché en partie, et découvert en partie, puisqu'il

---

**1.** ***Condition*** : situation.

**2.** Ce texte développe le projet de préface esquissé dans le fr. 644.

est également dangereux à l'homme de connaître Dieu sans connaître sa misère et de connaître sa misère sans connaître Dieu.

[...] La religion chrétienne consiste en deux points. Il importe également aux hommes de les connaître, et il est dangereux de les ignorer.

[...] Elle enseigne donc ensemble aux hommes ces deux vérités et qu'il y a un Dieu dont les hommes sont capables, et qu'il y a une corruption dans la nature qui les en rend indignes. Il importe également aux hommes de connaître l'un et l'autre de ces points, et il est également dangereux à l'homme de connaître Dieu sans connaître sa misère et de connaître sa misère sans connaître le Rédempteur qui l'en peut guérir. Une seule de ces connaissances fait, ou la superbe[1] des philosophes, qui ont connu Dieu et non leur misère, ou le désespoir des athées, qui connaissent leur misère, sans Rédempteur. [...]

## [L] L'état des Juifs

693

Pour montrer que les vrais
Juifs et les vrais chrétiens
n'ont qu'une même religion.

La religion des Juifs semblait consister essentiellement en la paternité d'Abraham, en la circoncision[2], aux sacrifices, aux cérémonies, en l'arche[3], au temple, en Jérusalem, et enfin en la loi et en l'alliance de Moïse[4].

---

**1.** ***La superbe*** : la vanité qui rend orgueilleux (Dictionnaire Furetière).

**2.** ***Circoncision*** : ablation rituelle du prépuce pratiquée sur les jeunes garçons juifs et musulmans.

**3.** ***L'arche*** : l'arche d'alliance est le coffre où les Hébreux conservaient les Tables de la Loi.

**4.** ***Alliance de Moïse*** : pacte entre le représentant des Hébreux, Moïse, et Yahvé, fondement de la religion juive. Les chrétiens nomment ce pacte .../...

Je dis qu'elle ne consistait en aucune de ces choses, mais seulement en l'amour de Dieu, et que Dieu réprouvait toutes les autres choses. [...]

## [LI] L'état des Juifs

694

Je vois la religion chrétienne, fondée sur une religion précédente[1], où voici ce que je trouve d'effectif[2].

—

[...] Je vois donc des faiseurs de religions en plusieurs endroits du monde et dans tous les temps. Mais ils n'ont ni la morale qui peut me plaire, ni les preuves qui peuvent m'arrêter. Et qu'ainsi j'aurais refusé également et la religion de Mahomet, et celle de la Chine, et celle des anciens Romains, et celle des Égyptiens, par cette seule raison que l'une n'ayant point plus marques de vérité que l'autre, ni rien qui me déterminât nécessairement, la raison ne peut pencher plutôt vers l'une que vers l'autre.

Mais, en considérant ainsi cette inconstante et bizarre variété de mœurs et de créances dans les divers temps, je trouve en un coin du monde un peuple particulier, séparé de tous les autres peuples de la terre, le plus ancien de tous, et dont les histoires précèdent de plusieurs siècles les plus anciennes que nous ayons.

Je trouve donc ce peuple grand et nombreux, sorti d'un seul homme, qui adore un seul Dieu, et qui se conduit par une Loi qu'ils disent tenir de sa main. Ils soutiennent qu'ils sont les seuls du monde auxquels Dieu a révélé ses mystères, que tous les

.../... l'ancienne alliance (l'Ancien Testament) parce qu'ils considèrent qu'il y a une nouvelle alliance (le Nouveau Testament) qui est le pacte entre Dieu et ceux qui reconnaissent le sacrifice du Christ, fondement du christianisme.

**1.** ***Une religion précédente*** : la religion juive.

**2.** ***Effectif*** : réel et positif (Dictionnaire Furetière).

hommes sont corrompus et dans la disgrâce de Dieu, qu'ils sont tous abandonnés à leur sens et à leur propre esprit, et que de là viennent les étranges égarements et les changements continuels qui arrivent entre eux, et de religions, et de coutumes, au lieu qu'ils demeurent inébranlables dans leur conduite, mais que Dieu ne laissera point éternellement les autres peuples dans ces ténèbres, qu'il viendra un Libérateur pour tous, qu'ils sont au monde pour l'annoncer aux hommes, qu'ils sont formés exprès pour être les avant-coureurs et les hérauts de ce grand avènement, et pour appeler tous les peuples à s'unir à eux dans l'attente de ce Libérateur.

La rencontre de ce peuple m'étonne et me semble digne de l'attention. [...]

## [LII] L'état des Juifs

696

Ceci est effectif : Pendant que tous les philosophes se séparent en différentes sectes [1], il se trouve en un coin du monde des gens qui sont les plus anciens du monde, déclarant que tout le monde est dans l'erreur, que Dieu leur a révélé la vérité, qu'elle sera toujours sur la terre. En effet, toutes les autres sectes cessent, celle-là dure toujours. Et depuis quatre mille ans ils déclarent qu'ils tiennent de leurs ancêtres que l'homme est déchu [2] de la communication avec Dieu, dans un entier éloignement de Dieu, mais qu'il a promis de les racheter, que cette doctrine serait toujours sur la terre, que leur Loi a double sens.

Que durant seize cents ans ils ont eu des gens qu'ils ont crus prophètes, qui ont prédit le temps et la manière.

Que quatre cents ans après ils ont été épars partout, parce que Jésus-Christ devait être annoncé partout.

---

1. ***Sectes*** : écoles, groupes, communautés (voir note 7, p. 48).
2. ***Déchu*** : dépossédé, par le péché originel.

Que Jésus-Christ est venu en la manière et au temps prédit.

Que, depuis, les Juifs sont épars partout en malédiction et subsistant néanmoins.

Hypothèse des apôtres fourbes.

Le temps clairement, la manière obscurément.

—

Cinq preuves de figuratifs[1].

—

2 000 { 1 600 – prophètes.
400 – épars.

## [LIII. Autour de la corruption]

700

Le monde subsiste[2] pour exercer miséricorde et jugement, non pas comme si les hommes y étaient sortant des mains de Dieu, mais comme des ennemis de Dieu, auxquels il donne par grâce assez de lumière pour revenir, s'ils le veulent chercher et le suivre, mais pour les punir, s'ils refusent de le chercher ou de le suivre.

705

Il n'y a rien sur la terre qui ne montre, ou la misère de l'homme, ou la miséricorde de Dieu, ou l'impuissance de l'homme sans Dieu, ou la puissance de l'homme avec Dieu.

708

Pour moi, j'avoue qu'aussitôt que la religion chrétienne découvre ce principe : que la nature des hommes est corrompue

1. Voir l'énumération de ces preuves dans le fr. 305.
2. ***Subsiste*** : continue d'exister.

et déchue de Dieu, cela ouvre les yeux à voir partout le caractère de cette vérité. Car la nature est telle, qu'elle marque partout un Dieu perdu, et dans l'homme et hors de l'homme.

Et une nature corrompue.

## 717

Preuves.

1. La religion chrétienne, par son établissement[1] : par elle-même établie si fortement, si doucement, étant si contraire à la nature.
2. La sainteté, la hauteur et l'humilité d'une âme chrétienne.
3. Les merveilles de l'Écriture sainte.
4. Jésus-Christ en particulier.
5. Les apôtres en particulier.
6. Moïse et les prophètes en particulier.
7. Le peuple juif.
8. Les prophéties.
9. La perpétuité. Nulle religion n'a la perpétuité.
10. La doctrine, qui rend raison de tout.
11. La sainteté de cette loi.
12. Par la conduite du monde.

Il est indubitable qu'après cela on ne doit pas refuser, en considérant ce que c'est que la vie et que cette religion, de suivre l'inclination[2] de la suivre, si elle nous vient dans le cœur. Et il est certain qu'il n'y a nul lieu de se moquer de ceux qui la suivent.

---

1. ***Son établissement*** : sa constitution.
2. ***Inclination*** : envie.

# [LXI] Loi figurative[1]

## 737

Figures.

Pour montrer que l'Ancien Testament est – n'est que – figuratif[2] et que les prophètes entendaient par les biens temporels d'autres biens, c'est : 1. que cela serait indigne de Dieu. – 2. que leurs discours expriment très clairement la promesse des biens temporels et qu'ils disent néanmoins que leurs discours sont obscurs et que leur sens ne sera point entendu : d'où il paraît que ce sens secret n'était point celui qu'ils exprimaient à découvert, et que par conséquent ils entendaient parler d'autres sacrifices, d'un autre Libérateur, etc. Ils disent qu'on ne l'entendra qu'à la fin des temps : Jérémie, 33, ult.[3].

La deuxième preuve est que leurs discours sont contraires et se détruisent. De sorte que si on pose qu'ils n'aient entendu par les mots de loi et de sacrifice autre chose que celle de Moïse, il y a contradiction manifeste et grossière. Donc ils entendaient autre chose, se contredisant quelquefois dans un même chapitre.

Or pour entendre le sens d'un auteur[4]... [...]

1. Voir liasse XX, p. 96 *sqq.*
2. ***Figuratif*** : symbolique.
3. En réalité, dernier verset du chapitre 30.
4. Voir fr. 289.

# E. Les fragments non enregistrés par la Seconde Copie[1]

742

[Le mémorial[2].]

L'an de grâce 1654.

Lundi 23 novembre, jour de saint Clément, pape et martyr, et autres au Martyrologe.

Veille de saint Chrysogone, martyr, et autres.

Depuis environ dix heures et demie du soir jusques environ minuit et demi.

Feu.

*Dieu d'Abraham, Dieu d'Isaac, Dieu de Jacob*[3],

non des philosophes et des savants.

Certitude, certitude, sentiment, joie, paix.

---

**1.** Les fragments retenus sont tous dans le manuscrit Périer ; voir note sur la présente édition, p. 42.

**2.** Un *mémorial* est un texte où se trouve consigné ce dont on veut se souvenir ; ici, une extase religieuse (voir chronologie, p. 37). À la mort de Pascal, on trouva dans la doublure de son pourpoint un petit parchemin plié, et dans ce parchemin une feuille de papier. Sur chacun de ces deux supports figurait à peu près le même texte, de la main de Pascal. L'autographe sur parchemin est perdu.

**3.** Exode 3, 6.

Dieu de Jésus-Christ.

*Deum meum et Deum vestrum*[1].

*Ton Dieu sera mon Dieu*[2].

Oubli du monde et de tout, hormis Dieu.

Il ne se trouve que par les voies enseignées dans l'Évangile.

Grandeur de l'âme humaine.

*Père juste, le monde ne t'a point connu, mais je t'ai connu*[3].

Joie, joie, joie, pleurs de joie.

Je m'en suis séparé. ——————————

*Dereliquerunt me fontem aquae vivae*[4].

Mon Dieu, me quitterez-vous ? ——————————

Que je n'en sois pas séparé éternellement.

---

*Cette*[5] *est la vie éternelle, qu'ils te connaissent seul vrai Dieu et celui que tu as envoyé, Jésus-Christ*[6].

Jésus-Christ. ——————————

Jésus-Christ. ——————————

Je m'en suis séparé. Je l'ai fui, renoncé, crucifié.

Que je n'en sois jamais séparé.

Il ne se conserve[7] que par les voies enseignées dans l'Évangile.

Renonciation totale et douce.

[etc.]

---

1. Le jour de sa résurrection, Jésus dit à Marie-Madeleine : « Ne me touche pas car je ne suis pas encore monté vers le Père. Mais va trouver mes frères et dis-leur : Je monte vers mon Père et votre Père, vers *mon Dieu et votre Dieu* » (Évangile de Jean 20, 17).
2. Livre de Ruth 1, 16.
3. Évangile de Jean 17, 25.
4. « Ils m'ont délaissé, moi qui suis la fontaine d'eau vive » (Livre de Jérémie 2, 13).
5. ***Cette*** : c'.
6. Évangile de Jean 17, 3.
7. Il faut comprendre : le contact avec Jésus-Christ ne se conserve…

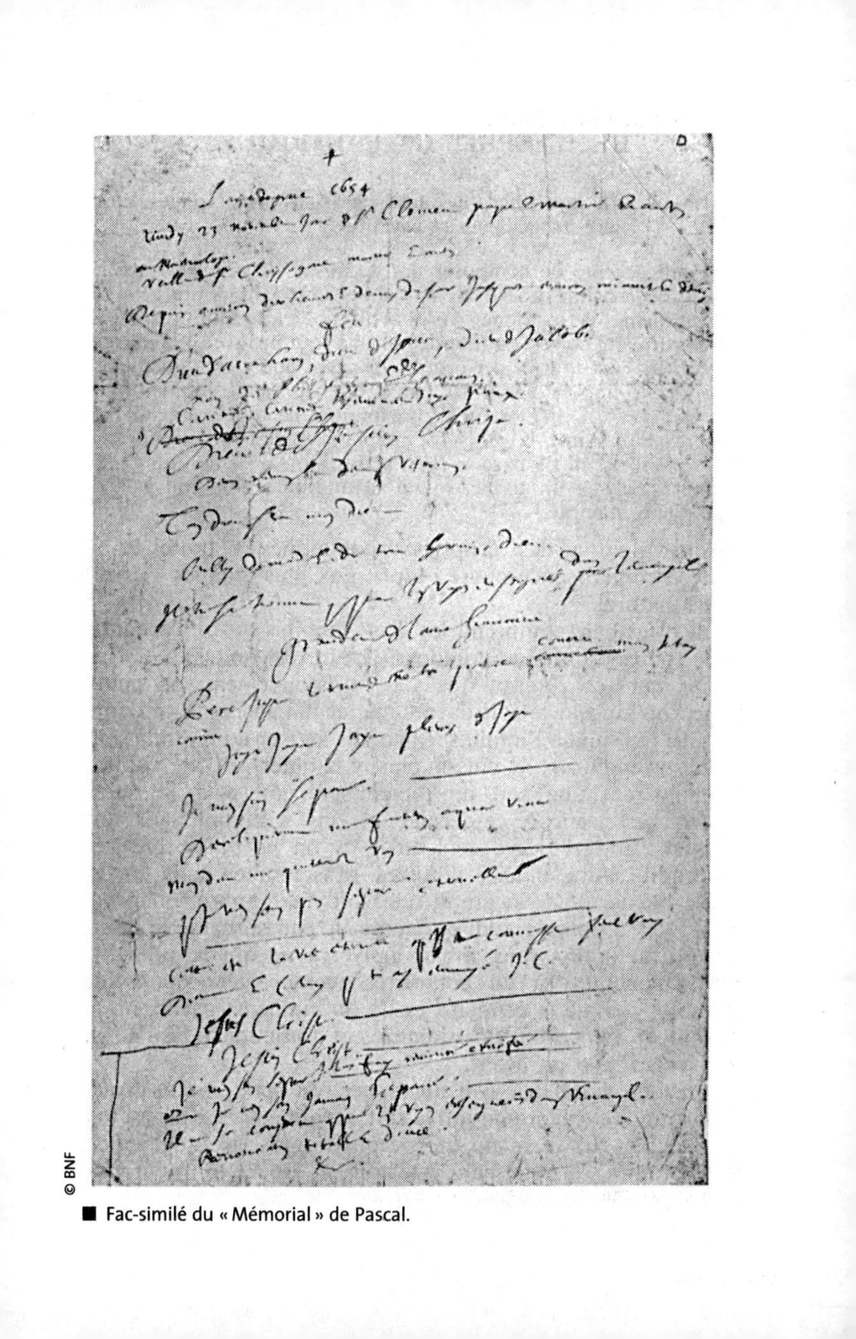

■ Fac-similé du « Mémorial » de Pascal.

## 749

Le Mystère de Jésus.

Jésus souffre dans sa Passion[1] les tourments que lui font les hommes. Mais dans l'agonie[2] il souffre les tourments qu'il se donne à lui-même. *Turbare semetipsum*[3]. C'est un supplice d'une main non humaine, mais toute-puissante. Et il faut être tout-puissant pour le soutenir[4].

—

Jésus cherche quelque consolation au moins dans ses trois plus chers amis[5], et ils dorment. Il les prie de soutenir un peu avec lui[6], et ils le laissent avec une négligence entière, ayant si peu de compassion qu'elle ne pouvait seulement les empêcher de dormir un moment. Et ainsi Jésus était délaissé seul à la colère de Dieu.

—

Jésus est seul dans la terre non seulement qui ressente et partage sa peine, mais qui la sache. Le ciel et lui sont seuls dans cette connaissance.

—

Jésus est dans un jardin, non de délices, comme le premier Adam, où il[7] se perdit et[8] tout le genre humain, mais dans un de supplices, où il[9] s'est sauvé et tout le genre humain.

—

1. ***Passion*** : supplice de la croix.
2. ***Dans l'agonie*** : dans les heures qui précèdent sa mort.
3. « Se torturer soi-même » (allusion à l'Évangile de Jean 11, 33 : « [Jésus] se troubla »).
4. ***Soutenir*** : voir note 5, p. 56.
5. ***Ses trois plus chers amis*** : Pierre, Jacques et Jean.
6. Évangile de Matthieu 26, 38.
7. ***Il*** : le pronom désigne Adam.
8. ***Et*** : ainsi que.
9. ***Il*** : le pronom désigne Jésus.

Il souffre cette peine et cet abandon dans l'horreur de la nuit.

—

Je crois que Jésus ne s'est jamais plaint que cette seule fois. Mais alors il se plaint comme s'il n'eût plus pu contenir sa douleur excessive : *Mon âme est triste jusqu'à la mort*[1]. [...]

—

Jésus s'arrache d'avec ses disciples pour entrer dans l'agonie. Il faut s'arracher de ses plus proches et des plus intimes, pour l'imiter.

—

Jésus étant dans l'agonie et dans les plus grandes peines, prions plus longtemps.

751

[...] Console-toi, tu ne me chercherais pas si tu ne m'avais trouvé.

—

Je pensais à toi dans mon agonie, j'ai versé telles gouttes de sang[2] pour toi.

—

C'est me tenter plus que t'éprouver, que de penser si tu ferais bien[3] telle et telle chose absente. Je la ferai en toi si elle arrive.

—

Laisse-toi conduire à mes règles. Vois comme j'ai bien conduit la Vierge et les saints, qui m'ont laissé agir en eux.

—

Le Père aime tout ce que je fais.

—

1. Évangile de Matthieu 26, 38 ; Évangile de Marc 14, 34.
2. Évangile de Luc 22, 44.
3. ***Si tu ferais bien*** : si tu pourrais faire.

Veux-tu qu'il me coûte toujours du sang de mon humanité sans que tu donnes des larmes ?

C'est mon affaire que ta conversion. Ne crains point, et prie avec confiance[1] comme pour moi[2].

—

Je te suis présent par ma parole dans l'Écriture, par mon esprit dans l'Église et par les inspirations[3], par ma puissance dans les prêtres, par ma prière dans les fidèles[4].

—

Les médecins ne te guériront pas, car tu mourras à la fin, mais c'est moi qui guéris et rends le corps immortel.

—

Souffre les chaînes et la servitude corporelle, je ne te délivre que de la spirituelle à présent.

—

Je te suis plus ami que tel et tel, car j'ai fait pour toi plus qu'eux, et ils ne souffriraient pas ce que j'ai souffert de toi et ne mourraient pas pour toi dans le temps de tes infidélités et cruautés, comme j'ai fait et comme je suis prêt à faire et fais dans mes élus et au Saint-Sacrement.

—

Si tu connaissais tes péchés, tu perdrais cœur[5]. – Je le perdrai donc, Seigneur, car je crois leur malice sur votre assurance[6]. – Non, car moi par qui tu l'apprends t'en peux guérir, et ce que je te le dis est un signe que je te veux guérir. À mesure que tu les

1. ***Prie avec confiance*** : c'est-à-dire, « prie pour toi ».
2. ***Comme pour moi*** : comme si tu priais pour moi.
3. ***Inspirations*** : illuminations (voir le « Mémorial », fr. 742).
4. ***Par ma prière dans les fidèles*** : par les prières que m'adressent les fidèles.
5. ***Cœur*** : courage.
6. ***Assurance*** : parole.

expieras, tu les connaîtras et il te sera dit : « Vois les péchés qui te sont remis. »

Fais donc pénitence pour tes péchés cachés [1] et pour la malice occulte de ceux que tu connais.

—

Seigneur, je vous donne tout. [...]

1. Psaume 18 (19), 13 : « Purifie-moi du mal caché. »

Archives Flammarion

■ La « Pascaline ».

# DOSSIER

- **Pascal : un génie... ?**
- **... une bête ?**

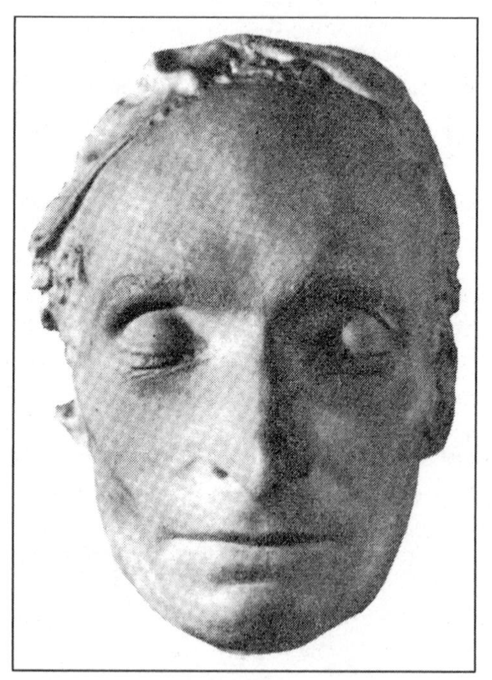

■ Masque mortuaire de Pascal.

# Pascal : un génie... ?

## Gilberte Périer, *La Vie de M. Pascal* (1684)

Gilberte Périer (1620-1687), la sœur aînée de Pascal, a composé cette *Vie* peu après la mort de ce dernier, en 1662, répondant ainsi à l'exhortation d'amis et de proches. Elle fait de son frère un personnage « de légende », presque un saint laïc. Voici un extrait qui témoigne de la précocité du jeune Blaise dans le domaine des sciences.

[...] Son génie pour la géométrie commença à paraître lorsqu'il n'avait encore que douze ans, par une rencontre [1] si extraordinaire qu'il me semble qu'elle mérite bien d'être déduite [2] en particulier.

Mon père était savant dans les mathématiques, et il avait habitude par là avec tous les habiles gens en cette science, qui étaient souvent chez lui ; mais comme il avait dessein d'instruire mon frère dans les langues, et qu'il savait que la mathématique est une chose qui remplit et satisfait beaucoup l'esprit, il ne voulut point que mon frère en eût aucune connaissance, de peur que cela ne le rendît négligent pour le latin et les autres langues dans lesquelles il voulait le perfectionner. Par cette raison il avait serré [3] tous les livres qui en traitaient, et il s'abstenait d'en parler avec ses amis en sa présence. Mais cette précaution n'empêchait pas que la curiosité de cet enfant ne fût excitée, de sorte qu'il priait souvent mon père de lui apprendre la mathématique ; mais il le lui refusait et, lui proposant cela comme une récompense, il lui promettait qu'aussitôt qu'il saurait le latin et le grec, il la lui apprendrait.

Mon frère, voyant cette résistance, lui demanda un jour ce que c'était que cette science, et de quoi on y traitait. Mon père lui dit, en général, que c'était le moyen de faire des figures justes et de trouver

1. *Rencontre* : circonstance.
2. *Déduite* : racontée.
3. *Serré* : rangé, mis hors de portée.

les proportions qu'elles avaient entre elles, et en même temps lui défendit d'en parler davantage et d'y penser jamais. Mais cet esprit, qui ne pouvait demeurer dans ces bornes, dès qu'il eut cette simple ouverture, que la mathématique donne le moyen de faire des figures infailliblement justes, il se mit lui-même à rêver [1] ; et, à ses heures de récréation, étant seul dans une salle où il avait accoutumé de se divertir, il prenait du charbon et faisait des figures sur les carreaux [2], cherchant les moyens, par exemple, de faire un cercle parfaitement rond, un triangle dont les côtés et les angles fussent égaux, et les autres choses semblables. Il trouvait tout cela lui seul ; ensuite il cherchait les proportions des figures entre elles. Mais comme le soin de mon père avait été si grand de lui cacher toutes ces choses qu'il n'en savait pas même les noms, il fut contraint de se faire lui-même des définitions, et appelait un cercle un rond, une ligne une barre et ainsi des autres. Après ces définitions, il se fit des axiomes [3], et enfin il fit des démonstrations parfaites ; et comme l'on va de l'un à l'autre dans ces choses-là, il poussa ses recherches si avant qu'il en vint jusques à la trente-deuxième proposition du premier livre d'Euclide [4].

Comme il en était là-dessus, mon père entra dans le lieu où il était sans que mon frère l'entendît. Il le trouva si fort appliqué qu'il fut longtemps sans s'apercevoir de sa venue. On ne peut dire lequel fut le plus surpris, ou du fils de voir son père à cause de la défense expresse qu'il lui en avait faite, ou du père de voir son fils au milieu de toutes ces choses. Mais la surprise du père fut bien plus grande lorsque, lui ayant demandé ce qu'il faisait, il lui dit qu'il cherchait telle chose qui était la trente-deuxième proposition du premier livre d'Euclide. Mon père lui demanda ce qui l'avait fait penser à chercher cela : il dit que c'était qu'il avait trouvé telle autre chose ; et sur cela lui ayant encore fait la même question, il lui dit encore quelque autre démonstration qu'il avait faite ; et enfin, en rétrogradant et s'expliquant toujours par

1. *Rêver* : réfléchir.
2. *Carreaux* : carrelage.
3. *Axiomes* : vérités indémontrables.
4. « La somme des angles d'un triangle est égale à deux angles droits. »

ces noms de ronds et de barres, il en vint à ses définitions et à ses axiomes.

Mon père fut si épouvanté de la grandeur et de la puissance de ce génie que, sans lui dire mot, il le quitta et alla chez M. Le Pailleur, qui était son ami intime et qui était aussi très savant. Lorsqu'il fut arrivé là-dedans, il y demeura immobile comme un homme transporté ; et M. Le Pailleur, voyant cela, et voyant même qu'il versait quelques larmes, fut tout épouvanté et le pria de ne lui pas celer [1] plus longtemps la cause de son déplaisir. Mon père lui dit : « Je ne pleure pas d'affliction [2], mais de joie. Vous savez les soins que j'ai pris pour ôter à mon fils la connaissance de la géométrie, de peur de le détourner de ses autres études ; cependant, voyez ce qu'il a fait. » Sur cela, il lui montra tout ce qu'il avait trouvé, par où l'on pouvait dire en quelque façon qu'il avait inventé la mathématique. [...]

## Chateaubriand, *Le Génie du christianisme* (1802)

Dans la troisième partie de cet essai apologétique sur l'excellence historique et liturgique du christianisme, Chateaubriand (1768-1848) dénonce la science sans religion des auteurs du siècle des Lumières – tel Voltaire –, à laquelle il oppose la pensée morale du Grand Siècle – incarnée par La Bruyère, Bossuet, Fénelon et, bien sûr, Pascal.

[...] Il y avait un homme qui à douze ans, avec des barres et des ronds, avait créé les mathématiques ; qui à seize ans avait fait le plus savant traité des coniques [3] qu'on eût vu depuis l'Antiquité ; qui à dix-neuf ans réduisit en machine une science qui existe tout entière dans l'entendement [4] ; qui à vingt-trois ans démontra les phénomènes de la pesanteur de l'air, et détruisit une des plus grandes erreurs de l'ancienne physique ; qui à cet âge où les autres hommes commencent

1. *Celer* : garder secret.
2. *Affliction* : voir note 1, p. 73.
3. Voir chronologie, p. 33.
4. Allusion à la « Pascaline » ; voir chronologie, p. 33 et illustration, p. 158.

à peine de naître, ayant achevé de parcourir le cercle des sciences humaines, s'aperçut de leur néant, et tourna ses pensées vers la religion ; qui, depuis ce moment jusqu'à sa mort, arrivée en sa trente-neuvième année, toujours infirme et souffrant, fixa la langue que parlèrent Bossuet et Racine, donna le modèle de la plus parfaite plaisanterie comme du raisonnement le plus fort ; enfin, qui dans les courts intervalles de ses maux, résolut par abstraction un des plus hauts problèmes de géométrie et jeta sur le papier des pensées qui tiennent autant du dieu que de l'homme : cet effrayant génie se nommait Blaise Pascal. [...]

# ... une bête ?

## Voltaire, *Lettres philosophiques*, « Sur les *Pensées* de M. Pascal » (1734)

Voltaire (1694-1778) est un grand ennemi de Pascal. Dans la dernière lettre de son recueil, le styliste des Lumières s'en prend à celui qui lui semble incarner l'esprit théologique le plus étouffant et le plus aliénant qui soit dans une société sclérosée. Voltaire imagine alors qu'il lui est possible de polémiquer, par-delà le temps, avec l'auteur des *Provinciales*.

[...] Il me paraît qu'en général l'esprit dans lequel M. Pascal écrivit ces pensées, était de montrer l'homme dans un jour odieux. Il s'acharne à nous peindre tous méchants et malheureux : il écrit contre la nature humaine à peu près comme il écrivait contre les Jésuites [1] : il impute à l'essence de notre nature ce qui n'appartient qu'à certains hommes : il dit éloquemment des injures au genre humain. J'ose prendre le parti de l'humanité contre ce misanthrope sublime : j'ose assurer que nous ne sommes ni si méchants ni si malheureux qu'il le dit, je suis de plus très persuadé que, s'il avait suivi dans le livre qu'il

---

1. *Jésuites* : voir note 4, p. 8.

méditait le dessein qui paraît dans ses pensées, il aurait fait un livre plein de paralogismes[1] éloquents et de faussetés admirablement déduites.

J'ai choisi avec discrétion[2] quelques pensées de Pascal ; je mets les réponses au bas. C'est à vous à juger si j'ai tort ou raison. [...]

« En voyant l'aveuglement et la misère de l'homme, et ces contrariétés étonnantes qui se découvrent dans sa nature ; et regardant tout l'univers muet et l'homme sans lumière, abandonné à lui-même, et comme égaré dans ce recoin de l'univers, sans savoir qui l'y a mis, ce qu'il y est venu faire, ce qu'il y deviendra en mourant, j'entre en effroi comme un homme qu'on aurait emporté endormi dans une île déserte et effroyable, et qui s'éveillerait sans connaître où il est, et sans avoir aucun moyen d'en sortir ; et sur cela j'admire comment on n'entre pas en désespoir d'un si misérable état[3]. »

En lisant cette réflexion, je reçois une lettre d'un de mes amis, qui demeure dans un pays fort éloigné. Voici ses paroles :

« Je suis ici comme vous m'y avez laissé, ni plus gai, ni plus triste, ni plus riche, ni plus pauvre, jouissant d'une santé parfaite, ayant tout ce qui rend la vie agréable, sans amour, sans avarice, sans ambition et sans envie ; et tant que tout cela durera, je m'appellerai hardiment un homme très heureux. »

Il y a beaucoup d'hommes aussi heureux que lui. Il en est des hommes comme des animaux. Tel chien couche et mange avec sa maîtresse ; tel autre tourne la broche et est tout aussi content ; tel autre devient enragé, et on le tue. Pour moi, quand je regarde Paris ou Londres, je ne vois aucune raison pour entrer dans ce désespoir dont parle M. Pascal ; je vois une ville qui ne ressemble en rien à une île déserte, mais peuplée, opulente, policée, et où les hommes sont heureux autant que la nature humaine le comporte. Quel est l'homme sage qui sera prêt à se pendre parce qu'il ne sait pas comme on voit

1. *Paralogismes* : raisonnements faux faits de bonne foi.

2. *Avec discrétion* : avec discernement, avec soin.

3. Voir fr. 229. Les légères différences de texte s'expliquent par le fait que Voltaire lisait Pascal dans l'édition Desprez et Desessarts, 1714, aujourd'hui dépassée.

Dieu face à face, et que sa raison ne peut débrouiller le mystère de la Trinité[1] ? Il faudrait autant se désespérer de n'avoir pas quatre pieds et deux ailes.

Pourquoi nous faire horreur de notre être ? Notre existence n'est point si malheureuse qu'on veut nous le faire accroire. Regarder l'univers comme un cachot, et tous les hommes comme des criminels qu'on va exécuter, est l'idée d'un fanatique. Croire que le monde est un lieu de délices où l'on ne doit avoir que du plaisir, c'est la rêverie d'un sybarite[2]. Penser que la terre, les hommes et les animaux sont ce qu'ils doivent être dans l'ordre de la Providence, est, je crois, d'un homme sage. [...]

## Paul Valéry, *Variété I*, « Variation sur une pensée » (1924)

Valéry (1871-1945) a consacré sa vie à réfléchir aux liens entre l'exercice de l'esprit, l'invention poétique et la vie en accord avec la nature. Dans cet essai, il s'intéresse en particulier au fr. 233 des *Pensées* (« Le silence éternel de ces espaces infinis m'effraie »), qu'il prend comme une confidence de Pascal, auquel il reproche de préférer le travail d'une perfection d'écriture à celui de la raison. Loin d'avoir un véritable contenu métaphysique, philosophique, cette pensée ne serait donc qu'un « bibelot poétique », un « poème bref ».

[...] *Effroi, effrayé, effroyable ; silence éternel ; univers muet*, c'est ainsi que parle de ce qui l'entoure l'une des plus fortes intelligences qui aient paru.

Elle se ressent, elle se peint, et se lamente, comme une bête traquée ; mais, de plus, qui se traque elle-même, et qui excite les grandes ressources qui sont en elle, les puissances de sa logique, les vertus admirables de son langage, à corrompre tout ce qui est visible

1. *Trinité* : dans la doctrine chrétienne, mystère du Dieu unique en trois personnes : le Père, le Fils et le Saint-Esprit.
2. *Sybarite* : personne qui cherche à jouir de la vie dans une atmosphère de luxe et de raffinement.

et qui n'est point désolant. […] Elle me fait songer invinciblement à cet aboi insupportable qu'adressent les chiens à la lune ; mais ce désespéré, qui est capable de la théorie de la lune, pousserait son gémissement tout aussi bien contre ses calculs. […]

Je ne puis m'empêcher de penser qu'il y a du système et du travail dans cette attitude parfaitement triste et dans cet absolu de dégoût. Une phrase bien accordée exclut la renonciation totale. […]

# Notes et citations

## Notes et citations

# Notes et citations

# Notes et citations

# Notes et citations

# Notes et citations

# Notes et citations

# Notes et citations

# Les classiques et les contemporains dans la même collection

DEFOE
Robinson Crusoé (120)

DIDEROT
Entretien d'un père avec ses enfants (361)
Jacques le Fataliste (317)
Le Neveu de Rameau (2218)
Supplément au Voyage de Bougainville (189)

DOYLE
Le Dernier Problème. La Maison vide (64)
Trois Aventures de Sherlock Holmes (37)

DUMAS
Le Comte de Monte-Cristo (85)
Pauline (233)
Les Trois Mousquetaires, t. 1 et 2
(2142 et 2144)

FABLIAUX DU MOYEN ÂGE (71)

LA FARCE DE MAÎTRE PATHELIN (3)

LA FARCE DU CUVIER ET AUTRES FARCES DU MOYEN ÂGE (139)

FENWICK (JEAN-NOËL)
Les Palmes de M. Schutz (373)

FERNEY (ALICE)
Grâce et Dénuement (197)

FEYDEAU-LABICHE
Deux courtes pièces autour du mariage (356)

FLAUBERT
La Légende de saint Julien l'Hospitalier (111)
Un cœur simple (47)

GARCIN (CHRISTIAN)
Vies volées (346)

GAUTIER
Le Capitaine Fracasse (2207)
La Morte amoureuse. La Cafetière
et autres nouvelles (2025)

GOGOL
Le Nez. Le Manteau (5)

GRAFFIGNY (MME DE)
Lettres d'une péruvienne (2216)

GRIMM
Le Petit Chaperon rouge et autres contes (98)

GRUMBERG (JEAN-CLAUDE)
L'Atelier (196)
Zone libre (357)

HIGGINS (COLIN)
Harold et Maude – *Adaptation de Jean-Claude Carrière* (343)

HOBB (ROBIN)
Retour au pays (338)

HOFFMANN
L'Enfant étranger (2067)
L'Homme au Sable (2176)
Le Violon de Crémone. Les Mines de Falun (2036)

HOLDER (ÉRIC)
Mademoiselle Chambon (2153)

HOMÈRE
Les Aventures extraordinaires d'Ulysse (2225)
L'Iliade (2113)
L'Odyssée (125)

HUGO
Claude Gueux (121)
L'Intervention *suivie de* La Grand'mère (365)
Le Dernier Jour d'un condamné (2074)
Les Misérables, t. 1 et 2 (96 et 97)
Notre-Dame de Paris (160)
Quatrevingt-treize (241)
Le roi s'amuse (307)
Ruy Blas (243)

JAMES
Le Tour d'écrou (236)

JARRY
Ubu Roi (2105)

KAFKA
La Métamorphose (83)

KAPUŚCIŃSKI
Autoportrait d'un reporter (360)

LABICHE
Un chapeau de paille d'Italie (114)

LA BRUYÈRE
Les Caractères (2186)

LONDON (JACK)
L'Appel de la forêt (358)

MME DE LAFAYETTE
La Princesse de Clèves (308)

LA FONTAINE
Le Corbeau et le Renard et autres fables – *Nouvelle édition des* Fables, *collège* (319)
Fables, *lycée* (367)

LANGELAAN (GEORGE)
La Mouche. Temps mort (330)

ROSTAND
Cyrano de Bergerac (112)

ROUSSEAU
Les Confessions (238)

SAND
Les Ailes de courage (62)
Le Géant Yéous (2042)

SAUMONT (ANNIE)
Aldo, mon ami et autres nouvelles (2141)
La guerre est déclarée et autres nouvelles (223)

SCHNITZLER
Mademoiselle Else (371)

SÉVIGNÉ (MME DE)
Lettres (2166)

SHAKESPEARE
Macbeth (215)
Roméo et Juliette (118)

SHELLEY (MARY)
Frankenstein (128)

STENDHAL
L'Abbesse de Castro (339)
Vanina Vanini. Le Coffre et le Revenant (44)

STEVENSON
Le Cas étrange du Dr Jekyll et de M. Hyde (2084)
L'Île au trésor (91)

STOKER
Dracula (188)

SWIFT
Voyage à Lilliput (2179)

TCHÉKHOV
La Mouette (237)
Une demande en mariage et autres pièces en un acte (108)

TITE-LIVE
La Fondation de Rome (2093)

TOURGUÉNIEV
Premier Amour (2020)

TROYAT (HENRI)
Aliocha (2013)

VALLÈS
L'Enfant (2082)

VERLAINE
Fêtes galantes, Romances sans paroles *précédé de* Poèmes saturniens (368)

VERNE
Le Tour du monde en 80 jours (2204)

VILLIERS DE L'ISLE-ADAM
Véra et autres nouvelles fantastiques (2150)

VIRGILE
L'Énéide (109)

VOLTAIRE
Candide – *Nouvelle édition* (78)
L'Ingénu (2211)
Jeannot et Colin. Le monde comme il va (220)
Micromégas (135)
Zadig – *Nouvelle édition* (30)

WESTLAKE (DONALD)
Le Couperet (248)

WILDE
Le Fantôme de Canterville et autres nouvelles (33)

ZOLA
Comment on meurt (369)
Germinal (123)
Jacques Damour (363)
Thérèse Raquin (322)

# Les anthologies dans la même collection

AU NOM DE LA LIBERTÉ
Poèmes de la Résistance (106)

L'AUTOBIOGRAPHIE (2131)

BAROQUE ET CLASSICISME (2172)

LA BIOGRAPHIE (2155)

BROUILLONS D'ÉCRIVAINS
Du manuscrit à l'œuvre (157)

« C'EST À CE PRIX QUE VOUS MANGEZ DU SUCRE... » Les discours sur l'esclavage d'Aristote à Césaire (187)

CEUX DE VERDUN
Les écrivains et la Grande Guerre (134)

LES CHEVALIERS DU MOYEN ÂGE (2138)

CONTES DE SORCIÈRES (331)

CONTES DE VAMPIRES (355)

LE CRIME N'EST JAMAIS PARFAIT
Nouvelles policières 1 (163)

DE L'ÉDUCATION
Apprendre et transmettre de Rabelais à Pennac (137)

LE DÉTOUR (334)

FAIRE VOIR : QUOI, COMMENT, POUR QUOI ? (320)

FÉES, OGRES ET LUTINS
Contes merveilleux 2 (2219)

LA FÊTE (259)

GÉNÉRATION(S) (347)

LES GRANDES HEURES DE ROME (2147)

L'HUMANISME ET LA RENAISSANCE (165)

IL ÉTAIT UNE FOIS
Contes merveilleux 1 (219)

LES LUMIÈRES (158)

LES MÉTAMORPHOSES D'ULYSSE
Réécritures de L'*Odyssée* (2167)

MONSTRES ET CHIMÈRES (2191)

MYTHES ET DIEUX DE L'OLYMPE (2127)

NOIRE SÉRIE...
Nouvelles policières 2 (222)

NOUVELLES DE FANTASY 1 (316)

NOUVELLES FANTASTIQUES 1
Comment Wang-Fô fut sauvé et autres récits (80)

NOUVELLES FANTASTIQUES 2
Je suis d'ailleurs et autres récits (235)

ON N'EST PAS SÉRIEUX QUAND ON A QUINZE ANS Adolescence et littérature (156)

PAROLES DE LA SHOAH (2129)

LA PEINE DE MORT
De Voltaire à Badinter (122)

POÈMES DE LA RENAISSANCE (72)

POÉSIE ET LYRISME (173)

LE PORTRAIT (2205)

RACONTER, SÉDUIRE, CONVAINCRE
Lettres des XVIIe et XVIIIe siècles (2079)

RÉALISME ET NATURALISME (2159)

RÉCITS POUR AUJOURD'HUI
17 fables et apologues contemporains (345)

RIRE : POUR QUOI FAIRE ? (364)

RISQUE ET PROGRÈS (258)

ROBINSONNADES
De Defoe à Tournier (2130)

LE ROMANTISME (2162)

SCÈNES DE LA VIE CONJUGALE
Le couple au théâtre, de Shakespeare à Yasmina Reza (328)

LE SURRÉALISME (152)

LA TÉLÉ NOUS REND FOUS ! (2221)

LES TEXTES FONDATEURS (340)

TROIS CONTES PHILOSOPHIQUES (311)
Diderot, Saint-Lambert, Voltaire

TROIS NOUVELLES NATURALISTES (2198)
Huysmans, Maupassant, Zola

VIVRE AU TEMPS DES ROMAINS (2184)

VOYAGES EN BOHÈME (39)
Baudelaire, Rimbaud, Verlaine

6, 9, 10, 14, 16, 18,
49, 50, 82, 91,
99, 105, 109
122, 131, 135, 139, 143, 147, 152
172, 194, 206, 208, 234, 245, 246
278, 279, 282, 283, 293, 298, 299
303, 304, 308, 323, 328, 335, 337
347, 348, 355, 365, 366, 372, 373, 383
384, 385, 386, 397, 398, 399, 404, 415
420, 426, 427, 455, 586

Création maquette intérieure :
Sarbacane Design.

Composition : IGS-CP.
N° d'édition : L.01EHRN000193.C002
Dépôt légal : décembre 2007
Imprimé en Espagne par Novoprint (Barcelone)